## DATE DUE

| | | | |
|---|---|---|---|
| | | | |
| | | | |
| | | | |
| | | | |
| | | | |
| | | | |
| | | | |
| | | | |
| | | | |
| | | | |
| | | | |
| | | | |
| | | | |
| | | | |
| | | | |
| | | | |
| | | | |
| | | | |
| GAYLORD | | | PRINTED IN U.S.A. |

# PROBLÈMES
## DU NOUVEAU ROMAN

JEAN RICARDOU

# PROBLÈMES
# DU NOUVEAU
# ROMAN

ÉDITIONS DU SEUIL
27, rue Jacob, Paris VIe

CE LIVRE
EST PUBLIÉ DANS LA COLLECTION
TEL QUEL
DIRIGÉE PAR PHILIPPE SOLLERS

L'analyse des procédés du roman n'a guère connu de publicité. La cause historique de cette réserve prolongée est la priorité d'autres genres. La cause fondamentale, la complexité presque inextricable des artifices du roman, qu'il est difficile de dégager de la trame. L'analyste d'une pièce juridique ou d'une élégie dispose d'un vocabulaire spécial et a toute latitude pour produire des paragraphes qui se suffisent à eux-mêmes ; dans le cas d'un long roman, il manque de termes consacrés et ne peut illustrer ses affirmations par des exemples immédiatement probants. Je demande donc un peu de patience devant les recherches qui vont suivre. (JORGE LUIS BORGES.)

# PROLOGUES

# NAISSANCE D'UNE DÉESSE

> *Puis, à l'aide de ce fil conducteur, ils parcourent tous les recoins du laboratoire, afin de pouvoir dresser la carte des routes de ce labyrinthe.* (NOVALIS.)

Établir un palmarès, disposer un panorama n'ont point compté parmi les soucis de ce livre. Certaines absences et l'apparente disproportion des commentaires ne doivent donc exciter nulle inquiétude : on écarte ici toute querelle de mérite ou d'appartenance. Mes premières expériences de romancier et la lecture d'œuvres souvent récentes se sont plutôt rejointes pour définir quelques-uns des problèmes actuels de la recherche romanesque.

Afin d'évincer plusieurs fréquentes incertitudes, il était nécessaire de nettement distinguer. L'on a donc accueilli un lexique propre. Ainsi rencontrera-t-on notamment dans la suite les concepts de narration, fiction, monde quotidien. Il est clair que la narration est la manière de conter, la fiction ce qui est conté ; l'une et l'autre déterminant les deux faces du langage. " Monde quotidien " réduit à de plus modestes prétentions ce que " vie " et " réel " nomment avec emphase.

Distinction élémentaire ? Soit, mais non inutile. Je m'en assure en lisant *Instant poétique et instant métaphysique* de Bachelard :

> Pour retenir ou plutôt retrouver cet instant stabilisé, il est des poètes, comme Mallarmé, qui brutalisent directement le temps horizontal, qui intervertissent la syntaxe, qui arrêtent ou dévient les conséquences de l'instant poétique. Les prosodies compliquées mettent des cailloux dans le ruisseau [...]. En lisant Mallarmé on éprouve souvent l'impression d'un temps récurrent qui vient achever des instants révolus. On vit, alors, en retard, les instants qu'on aurait dû vivre [...].

D'autres poètes, plus heureux, saisissent naturellement l'instant stabilisé. Baudelaire voit, comme les Chinois, l'heure dans l'œil des chats, l'heure insensible où la passion est si complète qu'elle dédaigne de s'accomplir : " Au fond de ses yeux adorables je vois toujours l'heure distinctement, toujours la même, une heure vaste, solennelle, grande comme l'espace, sans divisions de minutes et de secondes, une heure immobile qui n'est pas marquée sur les horloges... " Pour les poètes qui réalisent ainsi l'instant avec aisance, le poème ne se déroule pas, il se noue, il se tisse de nœuds à nœuds.

La confusion de Bachelard vient de ce qu'il observe chez Mallarmé la narration (en termes statiques : la forme) et chez Baudelaire, la fiction (ou le contenu). Tandis que l'instant vertical *provient* chez Mallarmé d'un travail sur le langage, il est chez Baudelaire une expérience antérieure qu'un langage très banalement successif est chargé de *véhiculer*. Ici, sous couvert de la gradation continue d'un croissant bonheur, le passage de Mallarmé à Baudelaire saute par-dessus une rupture, celle qui sépare une poétique d'une mystique. Il y a une différence capitale : c'est Mallarmé qui *fabrique* l'instant vertical; loin de le *réaliser*, comme l'affirme Bachelard, Baudelaire, en ce passage, se contente de le *dire*.

La démarcation du *fabriquer* et du *dire* nous semble fondamentale. En voici un tout autre exemple. Si, dans son *Journal*, Gide écrit :

> J'aperçois lorsque je veux me recoucher, dépassant la crête de l'armoire en face de mon lit, une tête de python dressée, qui, bientôt, n'est plus qu'une tringle de fer.

sa narration quelque peu travaillée réalise la méprise : le lecteur lui-même la subit. Gide eût-il proposé ceci :

> En me couchant je fus victime d'une méprise : pendant un moment la tringle de fer qui dépassait la crête de l'armoire me sembla une tête de python dressée.

que la plate narration se fût bornée à la dire. Ainsi verrons-nous comment les actuelles recherches tendent à remplacer une littérature du bavardage par une littérature du faire.

Quant à l'amalgame de la fiction et du monde quotidien, il est encore moins rare. J'aimerais l'appeler *réalisme primaire*. Comme je m'efforce de le débusquer plusieurs fois dans ce livre, j'y insisterai peu. Songeons simplement à tous ces gens auxquels il faut sans cesse répéter que le mot couteau ne coupe pas ou qu'on ne dort pas dans le mot lit, que le couteau ou le lit d'une fiction ne sont pas les *choses mêmes*.

Établir une précise coupure entre narration et fiction, c'est sans doute se donner pour tâche l'exploration des deux niveaux, c'est aussi s'apprêter à décrire leurs rapports et notamment leur *ressemblance*. Dans *l'Imagination du signe*, Roland Barthes définit excellemment l'une des faces de ce problème :

> Cette relation verticale apparaît forcément comme une relation analogique; la forme RESSEMBLE [1] (plus ou moins, mais toujours un peu) au contenu, comme si elle était en somme produite par lui...

J'appellerais volontiers *réalisme secondaire* cette procédure par laquelle une fiction entend former la narration à son image. Parmi les cas très simples, il faut compter l'allitération expressive, où des sonorités se groupent jusqu'à mimer ce qu'elles désignent.

Le présent livre insiste plutôt sur l'autre face, moins connue et comme maudite : il y a un mouvement inverse où c'est le contenu qui vient en quelque manière ressembler à la forme. La rime et sa limite le calembour en offrent un exemple élémentaire : le rapprochement de deux cellules fictives représente, en lui obéissant, la parenté formelle de deux éléments de la narration.

Le fonctionnement créateur du calembour, dont Roussel disait fortement qu'il " est essentiellement un procédé poétique ", est à n'en pas douter l'un des insupportables scandales de la littérature. Si bien qu'il est arrivé à d'innombrables auteurs, et non des moindres, de le déguiser : Hésiode par exemple, suivi par Platon et Mallarmé. On peut lire dans la *Théogonie* :

> Quant aux bourses, à peine les eût-il tranchées avec l'acier et jetées de la terre dans la mer au flux sans repos, qu'elles furent emportées au large, longtemps; et, tout autour une blanche écume

---

1. Les mots sont imprimés en petites capitales s'ils sont soulignés par l'auteur, en italique s'ils le sont par nous.

sortait du membre divin. De cette écume une fille se forma [...] que les dieux aussi bien que les hommes appellent Aphrodite, pour s'être formée d'une écume...

dans *Cratyle* :

En ce qui concerne Aphrodite, pas de raison de contredire Hésiode, mais plutôt de lui accorder que, étant née de l' "écume", APHROS, elle a, pour cette raison, été nommée Aphrodite.

et dans *les Dieux antiques* :

On dit qu'elle jaillit de la brillante écume de la mer, et fut, en conséquence, appelée Aphrodite (APHROS, mousse)...

Ces trois auteurs obéissent donc au démon de l'étymologie qui prétend définir à tout prix l'origine des mots. Pour eux le nom d'Aphrodite a été obtenu comme ceux, plus récents, de l'ustensile *faitout*, l'enseigne *Lavblanc*, la marque *Kiravi*. Soit.

Dans son *Dictionnaire*, cependant, Bailly termine ainsi l'article consacré à la déesse :

Étymologie inconnue, probablement d'origine orientale, et particulièrement phénicienne.

En sa brièveté, cette remarque est capitale : par elle, c'est un entier renversement de la perspective qui s'accomplit. Il ne faut plus chercher ici l'origine des mots *parce que ce sont les mots qui sont à l'origine du mythe*. Le contenu ne produit pas la forme, il en est le résultat. Pour ressembler à la parenté narrative d'aphros et d'Aphrodite, la fiction a *inventé* le rapprochement de l'écume et de la déesse. Marouzeau note justement dans *Aspects du français* :

Certaines fausses étymologies ont créé des mystiques : les Grecs, parce que dans le nom d'APHRODITE ils voyaient APHROS nom de l'écume de mer, ont inventé le mythe de la naissance marine de la déesse.

C'est une parturition rousselienne qui a mis au monde Aphrodite.

Il y a donc plus. La genèse du rapport de l'écume et de la déesse selon le mécanisme langagier du calembour est évoquée de surcroît par la fiction elle-même qui propose une *naissance*. La naissance d'Aphrodite désigne donc allégoriquement le fonctionnement qui l'institue; elle peut se lire comme un mythe crypté de la création poétique.

Déesse de l'*amour* et de la *beauté*, Aphrodite présidait, dit-on, aux *naissances*. Ces trois vertus n'échappent pas à une lecture seconde : par les mises en rapport sont engendrées la beauté et les œuvres.

C'est notamment tels problèmes, moins étrangers aux recherches romanesques qu'il peut paraître, qu'on rencontrera si l'on veut, non sans redites et variations d'éclairage, dans les chapitres suivants. Ces essais proviennent d'écrits circonstanciels publiés entre 1960 et 1966 dans les périodiques *Cahiers du Cinéma, Critique, Médiations, Nouvelle Revue Française, Premier Plan, Tel Quel.* Je n'ai pas cru devoir frustrer ces premières études de tous amendements nécessaires, ni me priver de les contredire à chaque fois que l'illusion réaliste, insidieusement, s'y glissait.

C'est leur actuelle version que je préfère reconnaître désormais.

# UNE QUESTION NOMMÉE LITTÉRATURE

*L'on entend dire tous les jours, non par les premiers sots venus, que les recherches touchant le langage sont de nature byzantine et vaine, et simplement propres à nous détourner des grands problèmes qu'il faut à l'homme affronter : des passions et de la conduite, de la connaissance du monde, de l'approche de l'âme. Or — si du moins notre analyse se trouve fondée — c'est le contraire qui est vrai.* (JEAN PAULHAN.)

## I. QUE PEUT *LA NAUSÉE* ?

Un débat réunissait l'autre jour divers écrivains autour de la question *Que peut la littérature ?* Puisqu'il y avait là le champion d'une " *littérature engagée* ", Jean-Paul Sartre, dont on connaît la déclaration au *Monde* :

> La littérature a besoin d'être universelle. L'écrivain doit donc se ranger aux côtés du plus grand nombre, des deux milliards d'affamés, s'il veut pouvoir s'adresser à tous et être lu par tous,

et le tenant d'une *littérature-refuge*, Yves Berger :

> Qu'il choisisse l'imaginaire ou que l'imaginaire le choisisse c'est toujours contre le réel que l'écrivain travaille et de façon à l'oublier,

l'on devine combien les avis s'opposèrent. Et pourtant, si peu qu'on y songe, c'est la ressemblance des deux auteurs qui devrait plutôt saisir. Non seulement l'un et l'autre raisonnent juste, mais encore ils s'appuient sur le *même* postulat. Jean-Paul Sartre :

> En face d'un enfant qui meurt, *la Nausée* ne fait pas le poids.

et Yves Berger :

> Alors que peut la littérature ? Me voici à présent fort tenté de
> dire, cette fois pour de bon, qu'elle ne peut rien. Elle ne peut
> rien dans tous les domaines qui touchent au réel.

Le commun thème de la littérature impuissante face au monde
quotidien se reconnaît aisément. C'est donc bien en toute logique
que Berger voit dans les Lettres un refuge, et que Sartre se tourne
vers un autre exercice, qui renierait *la Nausée*. En vérité ces deux
auteurs sont du même bord : ils s'accordent sur une idéologie pes-
simiste de la littérature.

Tout pessimisme sans motif est une attitude réactionnaire. Tel
est le cas, ici, probablement. L'on peut en effet se demander si
ce n'est pas *comme telle* que la littérature dispose, face au quotidien,
de sa plus sérieuse efficience.

Un enfant meurt de faim : cela est insupportable. Si je cherche
les raisons du caractère scandaleux de l'événement, je vois qu'il
faut sitôt y compter la littérature. Je ne sache pas que Sartre
s'inquiète trop des innombrables massacres qui s'accomplissent
chaque jour, systématiquement à la Villette. C'est que tous ces
gens en masse mis à mort n'avaient, très probablement, nul accès
à la littérature. Jamais ils n'auraient pu lire *la Nausée* ; jamais ils
n'auraient *écrit*. La littérature (plus généralement : " l'Art "), en
sa double dimension de l'écriture et de la lecture, est l'une des
rares activités *distinctives* de l'homme. C'est par la littérature qu'il
se dégage des divers mammifères supérieurs; c'est par elle qu'un
certain visage spécifique lui est dessiné. Que peut donc *la Nausée* ?
De toute évidence, ce livre (et plusieurs autres...) détermine, par
sa simple présence (et, nous le verrons, quelle qu'en soit la fiction), l'espace dans lequel la mort d'un enfant par inanition est
un scandale : il donne *un sens* à cette mort. Sans la présence de la
littérature (et il faut entendre *présence* dans son acception la
plus forte) quelque part dans le monde, la mort d'un enfant
n'aurait guère plus d'importance que celle, à l'abattoir, d'un
animal quelconque.

Depuis toujours sans doute les écrivains ont connu, au moins
intuitivement, cette vertu de la littérature. Abandonnant leur
art (aussi bien le *mettant au service*) pour se porter généreusement

au secours des opprimés, ils eussent du même coup privé l'émancipation souhaitée de son fondement même. Jean Paulhan, par exemple, s'il n'hésita pas à courir quelque risque dans la Résistance, eut la sagesse de ne pas cesser pour autant d'écrire. *Toute littérature cessante, nulle révolution possible.*

## II. QUE PEUVENT " LES ARBRES DANS LES LIVRES " ?

Il y a deux aptitudes du langage et chacun, comme par option fondamentale, se sent enclin à majorer l'une au détriment de l'autre. Les uns considèrent le langage comme un *moyen*, capable de véhiculer un témoignage, une explication, un enseignement. Pour ces *informateurs* l'intérêt se porte exclusivement sur le message à communiquer ; *l'essentiel se trouve hors du langage*, qui n'est que le support de la transmission.

D'autres, moins nombreux, se méfient de " l'innocente " fonction instrumentale du langage. A les croire, le langage serait plutôt une sorte de *matériau* qu'ils travaillent patiemment, avec d'innombrables soins. Pour ces gens, *l'essentiel c'est le langage même*. Écrire pour eux, c'est, non la prétention de communiquer un savoir préalable, mais ce projet d'explorer le langage comme un espace particulier. L'on a reconnu les *écrivains*.

Si, pour l'écrivain, l'essentiel est situé dans le langage, si le sujet du livre est toujours en quelque manière *sa propre composition*, alors on ne saurait songer à aucun sujet préétabli. Toute extérieure hiérarchie des sujets, qu'elle serve à donner des directives ou à trancher d'une valeur, ne concerne donc en rien la littérature. Voilà, noteraient les adeptes d'une *littérature-refuge*, qui marque singulièrement la divergence entre le quotidien et la fiction littéraire. Certes. Mais le retrait que définit cette différence détermine l'espace d'une nouvelle action.

Supposons-nous donc face à un " arbre du réel ". Ma perception connaît la variété d'une profusion immédiate, c'est une somme de caractères qui m'atteint d'un seul coup. Réduis-je mon champ visuel que demeure, quitte à se faire microscopique, cette richesse perceptive.

Si je tente la description de l'arbre, il me faut très vite reconnaître que je pénètre dans un tout autre domaine. Au fourmillement simultané de formes, mouvements, dispositions, couleurs, s'oppose la nécessité de *la file indienne*. C'est l'une à la suite de l'autre sur la *ligne* d'écriture que les caractéristiques désignées de l'arbre devront irrémédiablement se succéder. Ainsi, selon les catégories de l'espace et du temps, " l'arbre du réel " est à mon coup d'œil un volume et un instant, tandis que les signes de " l'arbre des livres " s'ordonnent sur une ligne et dans une durée. Les conséquences ne sont pas indifférentes.

Celle-ci, d'abord, peut-être imprévue. L'on aime à prétendre que le réalisme s'associe au goût des descriptions. C'est un étrange mirage (que connaissent parfois des auteurs à prétention réaliste) A mesure qu'elle multiplie les raffinements et se précise jusqu'au luxe, une description obtient un objet conforme, en ses détails, à la nature du langage. Qui de moins réaliste, en somme, que Flaubert ? Le réaliste conséquent se contentera de nommer l'arbre, sans plus, car cet arbre nommé, pour différent qu'il soit d'un " arbre du réel ", s'en éloignera moins qu'un arbre décrit dont les attributs s'ordonneraient selon la *toute autre disposition* d'un langage. (Il faut ajouter ceci : décrire un arbre ou un nuage, n'est-ce pas, en son principe, supposer qu'on ignore plutôt ce que c'est qu'un nuage ou un arbre ? N'est-ce pas, au fond, ruiner avec une désobligeance suave la confortable idée du " réel " que chacun s'imagine tenir ? Et n'est-ce pas les effets de cette vertu détersive que refuse, sous prétexte *d'ennui*, qui saute les descriptions ?)

L'on devine aussi ce " que peuvent les arbres dans les livre contre les arbres du réel ". Ce qui nettoie ma vision d'un arbre c'est soit une méprise (je l'avais pris pour autre chose), soit les paroles d'un spécialiste (botaniste, bûcheron) qui m'ont permis de noter quelques particularités; c'est en somme tout ce qui est capable de me faire " voir avec d'autres yeux " en désorientant l'assurance, un peu courte, de mon savoir. Or, découpant selon ses aptitudes langagières des éléments dans les ensembles perceptifs, les ordonnant selon des compositions nécessairement autres, obtenant ainsi des arbres dont nulle forêt ne connaît les racines, la description est une machine à désorienter ma vision. " L'arbre des livres ", parce qu'il est différent des arbres, les questionne au plus profond. C'est par son *écart essentiel* que la littérature interroge le monde, et comme nous le révèle. Voilà le phénomène que s'appliquent à escamoter ceux qui préfèrent parler de *vision* ou *d'imagination* originales plutôt que *d'écriture*.

### III. LE SECOND ANALPHABÉTISME

Par son patient travail sur le langage, l'écrivain s'efforce d'obtenir l'ensemble le plus cohérent et le plus riche des signes que le langage puisse instituer. La littérature n'entend s'astreindre qu'à établir cet ensemble dans son fonctionnement intégral. Lire la littérature, en conséquence, c'est tenter de *déchiffrer* à tout instant la superposition, l'innombrable entrecroisement des signes dont elle offre le plus complet répertoire. La littérature demande en somme qu'après avoir appris à déchiffrer mécaniquement les caractères typographiques, l'on apprenne à déchiffrer l'intrication des signes dont elle est faite. Pour elle, il existe un *second analphabétisme* qu'il importe de réduire.

Or, il se trouve que la pratique de cette *seconde lecture* ne va pas sans une latérale utilité. Tout lecteur rompu au décryptage des signes langagiers saura désormais, en toute occasion, démasquer les langages falsifiés que la société lui impose. Si la littérature, nous l'avons vu, est toute appliquée à ne prouver qu'elle-même, il existe en revanche maints langages *utilisés pour emporter la conviction*. N'évoquons, pour simplifier, que les seules publicité et propagande. En ces utilisations, les pouvoirs créateurs du langage sont asservis : ils viennent doubler, renforcer insidieusement les " idées " qu'on souhaite répandre. Ils jouent le rôle d'*adjuvants* " *poétiques* ".

L'adepte de la seconde lecture sera en mesure de les détecter, d'en dresser la liste. Il saura démasquer les rhétoriques honteuses qui composent ces langages frelatés.

L'on pourrait certes déterminer dans d'autres domaines que le visible ou la société *l'action critique* jouée, latéralement, par la pratique de la littérature même. Si nous nous sommes tenus à ces deux aspects, c'est qu'ils sont, pour ceux qui ne veulent au fond interroger ni la société, ni le visible, l'occasion, interminablement, de contester la si gênante littérature.

# I

## L'ÉCRITURE ET SES ROMANS

# RÉALITÉS VARIABLES, VARIANTES RÉELLES

*La littérature n'est, après tout, qu'une exploitation de certaines propriétés d'un langage donné.* (PAUL VALÉRY.)

## I. LA MANŒUVRE RÉALISTE

Diverses, quelquefois réciproquement hostiles, les opinions émises en matière romanesque entretiennent pour la plupart une profonde complicité. C'est qu'elles s'appuient sur un commun dogme, astreignant et diffus, *le réalisme*. Par conviction, mais souvent calcul, il arrive à maint romancier de choisir cette idéologie massivement chère à toute une critique, et de l'admettre en l'une ou l'autre de ses apparences majeures, sinon dans les deux.

L'on peut reconnaître le réalisme à l'assimilation, implicite et comme allant de soi, qu'il n'hésite pas à risquer entre la vie et la fiction produite par une écriture. Si, pour l'essentiel, la fiction c'est de la vie, alors elle est justiciable des grilles quotidiennes d'interprétation. Psychologies, psychiatries, métaphysiques, politiques, morales, et, certes, les simples bons sens comme les moindres bons goûts sont fondés de la prendre sans inquiétude pour champ de leurs manœuvres. Ils peuvent en expliquer les fonctionnements, les comparer à ceux qu'ils connaissent de la vie même, et, par ce biais, juger d'une vraisemblance qu'ils nomment vérité : il leur est à chaque instant loisible de stigmatiser mainte singularité pernicieuse.

Si l'assimilation de la vie et de la fiction demeure volontiers implicite, c'est que toute attention, dès qu'elle s'y applique, en fait apparaître les incontestables fragilités. Pour s'en tenir à l'exemple de la faune romanesque, il n'est guère possible d'admettre qu'un " *être de lettres* " puisse jouir du fonctionnement d'un être de chair. Valéry remarquait justement, dans *Tel Quel* :

> *Confusion* :
> Quelle confusion d'idées cachent des locutions comme " Roman psychologique ", " Vérité de ce caractère ", " Analyse " ! etc.
> — Pourquoi ne pas parler du système nerveux de la Joconde et du foie de la Vénus de Milo ?

La collusion entre fiction et vie doit donc dissimuler sa naïveté sous les complications d'un rapport moins direct. Ce rôle est dévolu, on ne l'ignore point, à l'intermédiaire célèbre qui trouva en Sainte-Beuve un idolâtre, à certain prisme très curieux, le romancier. Réfraction de la vie dans le cristal particulier d'un auteur, vision du monde exprimée, inspiration jetée sur la page, telle est alors, en cette optique, l'essence du roman. On glisse par une pente naturelle vers les biographies étroites ou amples, et peu s'en faut qu'on ne les confectionne avec ces procédés dont nous avons vu, plus haut, les livres fatigués.

Tout réalisme s'appuie ainsi sur un postulat général : en chaque circonstance, l'œuvre a pour raison de traduire un *donné préalable*, notamment la " vie même " ou une subjectivité, d'un mot : un sens institué. Quelles qu'en soient les outrances anecdotiques, le fantastique appartient par exemple au réalisme dès qu'il se trouve envisagé comme la mise en place des fantaisies présupposées d'un imaginaire. Le but de l'opération réaliste est donc de restreindre l'écriture à une fonction purement expressive, celle d'une passivité exempte de toute créatrice vertu. C'est pourquoi les doctrines réalistes évitent s'il se peut le verbe créer. Accueillent-elles d'aventure ce dangereux concept, qu'elles exilent toujours la création en quelque original processus antérieur au développement du texte. L'ironie valéryenne notait encore :

> Un romancier me disait qu'à peine ses personnages nés et nommés dans son esprit, ils vivaient en lui à leur guise; ils le réduisaient à subir leurs desseins et à considérer leurs actes. Ils lui empruntaient ses forces, et sans doute ses gesticulations et les machines de sa voix (qu'ils devaient se passer de l'un à l'autre, cependant qu'il marchait à grands pas, en proie aux sentiments de quelqu'un de ces êtres de lettres).

J'ai trouvé admirable et commode que l'on puisse faire faire de la sorte la substance de ses livres par des créatures qu'il suffit d'un instant pour appeler, toutes vivantes et libres, à jouer devant nous le rôle qu'elles veulent.

Or, diverses proses, en leur principe, semblent se plaire à réussir la démonstration inverse, signalant exemplairement l'écriture, ce mouvement qui suscite et agence les signes, comme origine de la création. Avant d'en relire quelques-unes, il convient de poser la question que ne peut manquer de s'attirer un semblable programme.

Admettons, nous est-il dit, qu'un être de lettres se distingue radicalement d'un être de chair; en cette différence reconnue se déploie néanmoins toute une similitude. La fiction n'accepte-t-elle pas des êtres qui de quelque manière marchent, sourient et meurent ? Si ces *comportements de lettres* ne peuvent se comprendre par des grilles quotidiennes, comment les interpréter ? Ou encore : si la fiction ne présente point, réfractée ou réfléchie, la vie " même ", qu'est-elle donc en vérité ?

L'on devine le retournement que préconise notre hypothèse. Loin de se servir de l'écriture pour présenter une vision du monde, la fiction utilise le concept de monde avec ses rouages afin d'obtenir un univers obéissant aux spécifiques lois de l'écriture. A la réaliste banalisation qui prétend trouver dans le livre le substitut d'un monde installé, l'expression d'un sens préalable, s'oppose ainsi le déchiffrement créateur, tentative faite, à partir de la fiction, pour éclaircir cette vertu qui, inventant et agençant les signes, institue le sens même. La fiction ne reflète point le monde par l'intermédiaire d'une narration; elle est, par un certain usage du monde comme la désignation à revers de sa propre narration. Ainsi dans *la Recherche du temps perdu*, toutes les expériences (madeleine, pavés, etc.) et idéologies (esthétique picturale d'Elstir, psychologie amoureuse de Swann, etc.) proposent une allégorie de la métaphore dont on sait qu'elle est seule capable, selon Proust, de " donner une sorte d'éternité au style ".

La psychologie ou la sociologie *fictives*, par exemple, impliquées dans l'ensemble des relations tissues entre les personnages d'un roman diffèrent essentiellement donc de toutes psychologies *quotidiennes*. Intrinsèques au livre, elles sont issues de l'écriture

et renvoient à son fonctionnement. L'ultime grille d'interprétation, c'est toujours le livre, en sa spécificité. Écrire, c'est se faire
aussitôt lecteur, lire, c'est se faire aussitôt écrivain. Commune à
l'écrivain et au lecteur, *la muse*, en toute occurrence, c'est le centre
du texte même, ce lieu obscur qui ne songe interminablement
qu'à se déchiffrer.

## II. UNE SORCELLERIE DÉMONTRÉE

Sans doute est-il toujours possible d'éclaircir en la littérature
cette scripturale création. Certains textes, toutefois, tant par
leur brièveté que leur principe, se prêtent davantage à la démonstration. C'est le cas du *Sorcier ajourné*, tel que le présentent la version
de Borges et la traduction de Caillois dans *Histoire de l'Infamie,
Histoire de l'Éternité*.

Il y avait à Santiago un doyen qui avait envie d'apprendre
l'art de la magie. Il apprit que personne ne la connaissait mieux
que don Illan de Tolède. Il partit donc pour Tolède.
Le jour même de son arrivée, il se dirigea vers la maison de
don Illan, qu'il trouva en train de lire dans une pièce écartée.
Celui-ci le reçut avec bonté et lui demanda d'attendre le déjeuner
pour lui révéler le motif de sa visite. Il lui indiqua une chambre
très fraîche et lui dit qu'il se réjouissait fort de sa venue. Après
le déjeuner, le doyen lui en découvrit la raison, le priant de lui
enseigner la science magique. Don Illan lui répondit qu'il devi-
nait que son hôte était doyen, homme de bonne position et de
grand avenir, mais qu'il craignait d'être plus tard oublié par
lui. Le doyen promit et jura qu'il n'oublierait jamais la faveur
reçue de don Illan et qu'il resterait toujours son obligé. L'affaire
conclue, don Illan lui expliqua que les arts magiques ne pouvaient
s'enseigner que dans un endroit discret et le prenant par la
main, il le conduisit dans une pièce contiguë, sur le sol de laquelle
on voyait un énorme anneau de fer. Il dit d'abord à la servante
de préparer des perdrix pour le souper, mais de ne pas les mettre
à rôtir avant qu'il ne le lui dise. Puis tous deux levèrent l'anneau
et descendirent par un escalier de pierre fort bien taillé, jusqu'au
moment où il parut au doyen qu'ils avaient descendu si profond
que le lit du Tage devait être au-dessus d'eux. Au bas de l'escalier, il y avait une cellule, une bibliothèque et une sorte de cabinet
empli d'instruments de magie. Ils regardaient les livres, quand

deux hommes entrèrent, porteurs d'une lettre pour le doyen. Elle était de l'évêque, son oncle, qui lui faisait savoir qu'il était très malade et que le doyen devait se hâter s'il voulait le trouver encore vivant. Ces nouvelles contrarièrent beaucoup le doyen, d'une part à cause de la maladie de son oncle, de l'autre parce qu'il allait devoir interrompre ses études. Il choisit d'écrire une lettre d'excuses qu'il envoya à l'évêque. Trois jours après, arrivèrent des hommes vêtus de deuil avec d'autres lettres pour le doyen, où on lui disait que l'évêque était mort, qu'on était en train d'élire son successeur et qu'on espérait, par la grâce de Dieu, que ce serait lui. On disait aussi qu'il ne prenne pas la peine de venir, car il semblait bien plus avantageux qu'on l'élise en son absence.

Dix jours plus tard, se présentèrent deux écuyers richement vêtus, qui se jetèrent à ses pieds, baisèrent ses mains et le saluèrent évêque. Quand don Illan vit cela, il s'adressa tout heureux au nouveau prélat et lui dit qu'il remerciait Dieu d'apprendre de si heureuses nouvelles. Puis il lui demanda le décanat vacant pour un de ses fils. L'évêque lui fit savoir qu'il avait réservé le décanat pour son propre frère, mais qu'il était décidé à lui faire une faveur et qu'ils partiraient ensemble à Santiago.

Les trois s'en furent à Santiago où on les accueillit avec beaucoup d'honneurs. Au bout de six mois, l'évêque reçut des envoyés du Pape, lequel lui offrait l'archevêché de Toulouse, lui laissant le soin de nommer son successeur. Quand don Illan l'apprit, il lui rappela son ancienne promesse et lui demanda le titre pour son fils. L'archevêque lui manda qu'il avait réservé l'évêché pour son oncle, le frère de son père, mais qu'il était décidé à lui faire une faveur et qu'ils partiraient ensemble pour Toulouse. Don Illan ne pouvait que consentir.

Ils partirent tous trois pour Toulouse, où on les accueillit avec beaucoup d'honneurs et des messes. Deux ans passèrent et l'archevêque reçut des émissaires du Pape qui lui offraient le chapeau de cardinal, lui laissant le soin de choisir son successeur. L'apprenant don Illan lui rappela son ancienne promesse et lui demanda le titre pour son fils. Le Cardinal lui fit savoir qu'il avait réservé l'archevêché pour son oncle, le frère de sa mère, mais qu'il était décidé à lui faire une faveur et qu'ils partiraient ensemble pour Rome. Don Illan ne pouvait que consentir. Ils partirent pour Rome tous les trois, où on les reçut avec beaucoup d'honneurs, des messes et des processions. Le Pape mourut au bout de quatre ans et notre Cardinal fut élu unanimement à la papauté. L'apprenant, don Illan baisa les pieds de Sa Sainteté, lui rappela son ancienne promesse et lui demanda le cardinalat pour son fils. Le Pape le menaça de la prison lui disant qu'il savait bien qu'il n'était qu'un sorcier et qu'il avait enseigné la magie à Tolède. Le malheureux don Illan répondit qu'il allait rentrer en Espagne et lui demanda quelque chose pour manger pendant le voyage. Le Pape refusa. Alors, don Illan dit d'une voix qui ne tremblait pas :

" Je devrais donc manger seul les perdrix que j'ai commandées pour cette nuit. "

La servante apparut et don Illan lui ordonna de les rôtir. A ces mots, le Pape se retrouva dans la cellule souterraine de Tolède, redevenu doyen de Santiago et si honteux de son ingratitude qu'il ne cessait pas de demander pardon. Don Illan lui répondit que l'épreuve suffisait, ne lui donna pas sa part de perdrix et l'accompagna jusqu'à la rue, où il lui souhaita bon voyage et prit congé de lui très courtoisement. (*Libro de los Enxiemplos de l'Infant don Juan Manuel*, qui s'inspira d'un livre arabe, *les Quarante matins et les quarante nuits.*)

" Où le coupable se confond avec le lecteur toujours pris en faute ", telle pourrait s'inscrire, extraite du *Lautréamont ou l'espérance d'une tête* de Maurice Blanchot, la secrète épigraphe de ce conte parfait : non moins que le candidat malheureux, le lecteur se trouve violemment mystifié. Or, sauf admettre l'extension de la magie tolédienne jusqu'au lecteur, il faut bien reconnaître à ce fonctionnement qu'il est inhérent au texte même. Nous avons été bernés, au vrai, par un *coup d'écriture*.

Ce qui tombe dans le piège ici, et se démasque, c'est, confondant l'écrit et le quotidien, le réaliste tapi au fond de chaque lecteur. Qu'on nous permette d'apporter à ce problème l'ébauche d'une formalisation. Si nous appelons A les éléments dits " réels " d'une fiction, B ses éléments " virtuels " (rêves, hallucinations, etc.), C la fiction dans son ensemble et D le monde quotidien, nous définirons comme tendanciellement *réaliste* l'effort de séparer A et B pour confondre C et D, et *poétique* la tentative d'assimiler A et B pour disjoindre C et D. Le contraste subséquent entre l'équation réaliste $C = D$ et l'équation poétique $A = B$ se lit naturellement ainsi : " la littérature c'est de la vie " s'oppose à " l'action sera la sœur du rêve ".

En d'autres termes, si la littérature et la critique réalistes s'acharnent à distinguer nettement les scènes " réelles " et les scènes " virtuelles ", c'est qu'en leur opposition même réel et virtuel définissent l'intégrité du quotidien. Forçant irrécusablement le lecteur à confondre virtuel et réel, *le Sorcier ajourné* réussit la démonstration scandaleuse par laquelle tous les réalismes sont foudroyés : en la fiction, le réel et le virtuel ont même statut parce qu'ils sont l'un comme l'autre entièrement gérés par les lois de l'écriture qui les instaure.

### III. " RECETTES MAGIQUES "

Cette démonstration suppose naturellement, tant narratives que fictives, diverses particularités. Si l'on entend situer de plain-pied dans une fiction le " réel " et le " virtuel ", alors s'impose la concordance (au sens le plus fort : *l'homologie*) de leurs langages respectifs. C'est pourquoi, en tous paragraphes du conte, l'homogénéité du style est lisiblement marquée et maintenue. Réduites jusqu'à la pauvreté, accueillant un maximum de verbes d'action au passé simple, les phrases se succèdent pendant les deux séquences (réelle puis virtuelle) sans que leur similitude soit quelque part contestée par la moindre métamorphose. Il arrive même que, d'une scène à l'autre, deux phrases soient identiques : " Il partit donc pour Tolède " et " Ils partirent tous trois pour Toulouse ". Plus encore : la communauté des deux langages se trouve soutenue ici, non sans raffinement, par la concordance des initiales T.

Lisons mieux : parmi les caractéristiques créatrices du langage mobilisées dans cette expérience, il en est une, accomplie jusqu'à une perversité subtile qu'il convient d'éclaircir quelque peu. Le déroulement d'un récit oscille toujours, entre deux limites antagonistes : *la digression* qui freine, et, accélérant, *le raccourci*. Dans la mesure où la fiction se développe comme allégorie de l'écriture qui l'érige, il n'est donc point rare de les voir accordées selon l'une ou l'autre de ces deux possibilités. La digressive syntaxe proustienne, assemblant toutes manières de phrases arborescentes richement compliquées de subordonnées, est désignée par la proustienne fiction, tissue de digressions innombrables, détails et commentaires, à tous moments accumulés.

*Le Sorcier ajourné* propose, fondée sur le raccourci, une semblable concomitance. La syntaxe, hachée, élémentaire, toute en brèves propositions, est signalée par le galop des événements, par des sauts au-dessus du *vide* : " Après le déjeuner ", " l'affaire conclue ", " trois jours après ", " dix jours plus tard ", " au bout de six mois ", " au bout de quatre ans ". L'on en distingue la raison : ainsi toute éventuelle vélléité digressive semblerait étrangère au fonctionnement du texte; elle est exclue de l'espace de la lecture. *Le Sorcier ajourné*, dont le sous-titre secret serait *le Lecteur mystifié*, pourrait donc s'intituler structurellement *la Digression dissimulée*. Toute la parenthèse magique s'y trouve masquée par l'apparence d'un principe adverse de composition.

Il est un point du texte où la lecture ne doit certes pas éviter de se faire plus attentive : la charnière des deux séquences. Sous l'angle de la syntaxe, la proposition qui constitue la scène " réelle " et celle qui élabore la " virtuelle " digression sont jointes en une phrase unique, milieu syntaxique commun où la *soudure* s'accomplit. Mieux : des trois relations qu'entretiennent les diverses propositions d'une phrase, juxtaposition, coordination, subordination, la dernière est préférée qui établit le lien le plus étroit. En outre, la notion temporelle ici établie étant la simultanéité, il est loisible d'imaginer une permutation grammaticale; la phrase deviendrait : " Comme ils regardaient les livres, deux hommes entrèrent, porteurs d'une lettre pour le doyen. " L'on perçoit combien, en cette occurrence, l'accent serait mis sur l'entrée des deux hommes, offerte par la proposition principale. Dans la mesure où elle est au contraire inscrite dans une proposition subordonnée, l'apparition des deux hommes voit son importance, son étrangeté délicatement réduites.

La fiction, quant à elle, est inventée de manière à édulcorer le passage. Les deux commissionnaires arrivent par la porte; leur apparition magique, en conséquence, coïncide avec leur entrée dans la cellule. Ainsi paraissent-ils venir non du néant, mais du couloir. Et ce chemin est le plus naturel : celui-même que viennent d'emprunter le doyen et le sorcier. Si les messagers sont deux (et les écuyers qui plus tard leur succèdent) c'est qu'ils correspondent à don Illan et son élève; les voilà d'autant plus " réels " et familiers.

Qui souhaite maintenant comprendre pourquoi tout lecteur

oublie les perdrix et ne relève pas combien il est surprenant que
des émissaires étrangers puissent atteindre un si profond caveau,
doit définir les raisons pour lesquelles toute lecture d'une fiction
se caractérise par une *inattention* et une *crédulité* fondamentales.

A son stade élémentaire, le langage s'élabore selon cette seule
dimension que constitue la *ligne* d'écriture. Quand son aisance ne
se trouve contestée par aucune difficulté imprévue, la lecture
galope, et son mouvement, sans retours en arrière, suit un véritable *sens unique*. Ainsi l'attention du lecteur, posée sur un bref
segment du texte, se trouve toujours orientée vers la suite, un inexo-
rable aval, son futur. En conséquence, ce qui est déjà lu, l'amont,
disparaît aussitôt de son champ d'intérêt.

Supposons maintenant que le lecteur, arrêtant sa course, se
prenne à considérer le souvenir de sa lecture. Il le constatera
pauvre, et confus le plus souvent. C'est que la mémoire ordinaire
et celle du lecteur ne sont pas sans différences. Relevons-en deux.
La première oppose chose et signe : tandis qu'une scène quotidienne donne des *choses à voir*, une scène décrite est un ensemble
de *signes à visualiser*. La seconde provient du caractère linéaire de
l'écriture. Les scènes quotidiennes s'établissent en notre mémoire
selon la simultanéité de nos diverses perceptions; elles tendent à
former, chacune, un bloc homogène, où, dans l'unité, les perceptions fragmentaires s'étayent suivant de réciproques liens. Les
scènes décrites au contraire se composent peu à peu par une *succession* de signes (et non par *touches* ainsi qu'une fâcheuse métaphore
picturale, impliquant la surface, le prétend quelquefois).

L'enfilade des signes détermine une perspective singulière où
chacune des particularités décrites s'interpose entre la précédente
et le lecteur, et donc, d'une certaine manière, la cache. Ce processus
d'enfouissement que suscite l'ordre successif des signes explique
notamment pourquoi une description, si elle se risque à en multiplier les caractères, finit par dissoudre l'objet qu'elle prétendait
construire. Il permet aussi de comprendre ce phénomène par lequel,
même présentée comme telle, toute digression, si elle se prolonge
amplement, tend à devenir *corps principal*. Dans le fonctionnement
ordinaire de la lecture, la mobile attention laisse une prompte
amnésie corrompre ce qu'elle a éphémèrement déchiffré. Dans
son *Traité de la Peinture*, Léonard de Vinci, parlant de la descrip-

tion, remarquait " ... comme si le visage devait être découvert par degrés, et la partie déjà au jour recouverte de nouveau, d'où il découlerait que, *par défaut de notre mémoire*, nous ne pouvons éprouver l'harmonie des proportions parce que l'œil ne peut saisir tout le champ visuel d'un seul coup ".

Quant à la crédulité inscrite en toute lecture, elle ne peut guère nous surprendre. Si le lecteur d'une fiction se trouve astreint à croire le langage sur parole, c'est que le langage invente et supporte tout l'univers qu'en sa lecture il perçoit. Que lire revienne à reconnaître en tout lieu au langage un pouvoir démiurgique sans limite, se reconnaît chez le lecteur à la facilité de lui accorder, non seulement la capacité de fonder l'être, mais encore celle, tout aussi remarquable, de déterminer le néant. " Dix jours plus tard " : le langage permet de *tenir pour rien* dix entières journées. Comment donc imaginer l'utilité du mensonge, de la feinte, pour un langage auquel, d'avance, en la fiction qu'il suscite, on reconnaît d'aussi créatrices aptitudes ?

Par l'étrange expérience qu'il en tire, *le Sorcier ajourné* ne se contente donc pas de manifester quelques-unes des particularités créatrices de l'écriture, il apporte aussi, parallèlement, une autre non moins pertinente démonstration. Ridiculisant toute première lecture, si encline à banaliser que la fiction y semble occulter son fonctionnement même, il assure combien n'a jamais lu quiconque n'a point relu.

## IV. DES RÉALITÉS VARIABLES AUX VARIANTES RÉELLES

On pourrait appeler principe des *réalités variables*, la règle anti-réaliste selon laquelle, dans un texte, un " réel " se révèle " virtuel ", ou inversement, par un coup d'écriture. Telle réciproque, un rebondissement facile à produire, et faisant du magicien un apprenti sorcier, eût permis de l'ajouter à notre conte, en guise d'épilogue :

> Mais le pape refusa d'être dupe de cette ultime magique supercherie. Il y voulut trouver seulement la preuve de ses assertions et il fit conduire don Illan en prison par ses gardes.

Ce principe semble singulièrement actif dans les actuelles recherches romanesques. Nombre de pages d'Alain Robbe-Grillet peu-

vent s'entendre comme une mise en place de dispositions narratives susceptibles d'obtenir de variables réalités.

Le Voyeur, en particulier, tend vivement à s'accomplir selon
la procédure inscrite dans le Sorcier ajourné. La simplicité de l'analyse exige certes qu'on s'en tienne ici à un fonctionnement local,
celui, par exemple, de ce passage où par l'indiscutable vertu d'un
coup d'écriture, une scène " réelle " se retourne en phantasme :

> De l'autre côté, derrière le parapet de la digue, les façades sans
> relief s'alignaient le long du quai, jusqu'à la place triangulaire
> et son monument encerclé d'une grille. En deçà, se répète la suc-
> cession des devantures : la quincaillerie, la boucherie, le café
> " A l'Espérance ". C'est là qu'il a bu son absinthe, au comptoir
> pour le prix de trois couronnes sept.
>
> Il est au premier étage, debout dans l'étroit vestibule devant
> la chambre au carrelage noir et blanc. La fille est assise au bord
> du lit défait, ses pieds nus foulant la laine du tapis. Auprès d'elle,
> les draperies rouges bouleversées pendent jusqu'au sol.
>
> Il fait nuit. Seule est allumée la petite lampe sur la table de
> chevet. La scène, un long moment, demeure inanimée et silen-
> cieuse. Puis on entend de nouveau les mots : " Tu dors ? ",
> prononcés par la voix grave et profonde, un peu chantante, qui
> semble cacher on ne sait quelle menace. Mathias aperçoit alors [...]
>
> Le bout des doigts se promène sur la peau nue, à la naissance
> du cou et le long de la nuque baissée que dégage entièrement la
> coiffure; puis la main glisse sous l'oreille, pour effleurer de la
> même façon la bouche et le visage, qu'elle oblige ensuite à se
> relever, offrant enfin les yeux, grands et sombres, entre les cils
> recourbés de poupée.
>
> Une vague plus forte frappa contre le roc avec un bruit de
> gifle; de la gerbe d'écume qui jaillit, quelques gouttes entraînées
> par le vent retombèrent tout près de Mathias.

Tout commentaire doit retenir d'abord l'évocation de la nuit,
particulièrement inopportune en ce qu'elle oppose radicalement
la seconde séquence à la scène diurne, l'empêchant donc de constituer cette suite provisoirement " réelle " que réclame le principe
des variables réalités. Or, une précédente digression, établissant une
scène fort semblable, a précisé qu'il faisait jour et qu'on avait
oublié d'éteindre la lampe. Ainsi se trouve réduite à une manière
de lapsus remplaçant " sombre ", cette dangereuse précision.

On notera au passage comment la continuité du style est enrichie d'un curieux renversement des temps. Tandis que la séquence " réelle " est offerte aux passés de l'indicatif, la séquence " virtuelle " se développe par les vertus du plus réalisant des temps : l'indicatif présent. Si tel chiasma égalise certes les deux niveaux de la fiction, il présente néanmoins un danger. Perceptible, le changement temporel risque de souligner ce qu'il cache. C'est pourquoi il ne se superpose pas exactement à la soudure des deux séquences. Le présent anticipe, en quelque sorte, et vient se porter, trois lignes plus haut sur ce *répète*, qui se fonde en outre, justement, sur le concept d'une succession d'identités.

Il y a plus. Du point de vue structurel, toute digression agresse la continuité du récit qu'elle interrompt. La fiction en donne ici une allégorie immédiate, de deux manières. L'attaque se marque en amont par l'assaut grammatical que nous avons noté : la digression impose son temps au bord de l'histoire qui la contient. Elle se poursuit en aval selon une rémanence cryptée, obligeant le récit majeur à admettre son " sadisme ". *Violence :* " un bruit de gifle ", et *sexualité :* " de la gerbe d'écume qui jaillit, quelques gouttes entraînées par le vent retombèrent tout près de Mathias ".

En cet ordre de recherches, le mince recueil d'*Instantanés* compose une riche anthologie (avec ses réussites mais aussi ses tentations réalistes) des réciproques contaminations du " réel " et du " virtuel ". Dans *la Chambre secrète*, c'est toute une scène de tortures, érotique et sanglante, qui se révèle, à l'ultime vocable, simple toile peinte.

*Le Chemin du retour* mérite une très vive attention. Il propose une structure paradoxale déterminée par un *croisement* de l'espace et du temps. Le site possède en effet une importance majeure : c'est une presqu'île que la marée haute détache du rivage. Plusieurs jeunes gens traversent semble-t-il à pied sec, puis ne peuvent plus revenir car la barque qu'ils empruntent se dirige dans les dernières lignes vers une " région tumultueuse " peu propice à l'accostage. Ainsi le paysage jouit-il d'une ordonnance temporelle : la côte est " antérieure " à l'île. Or, les temps grammaticaux s'opposent à cette temporalité spatiale. Le texte commence dans l'île aux passés de l'indicatif : c'est un passé " réel " qui se trouve de la sorte déterminé.

> Une fois franchie la ligne de rochers qui jusque-là nous barrait la vue, nous avons aperçu de nouveau la terre ferme, la colline au bois de pins, les deux maisonnettes blanches et le bout de route en pente douce par où nous étions arrivés. Nous avions fait le tour de l'île.

Mais, dès le quatrième paragraphe, le texte se continue sur la côte, et au *présent*. Il accomplit ainsi un *retour en arrière* selon un *temps ultérieur* :

> Nous regardons l'île devant nous et, à nos pieds les pierres du passage, brunes et lisses, recouvertes par endroits d'algues vertes à demi-desséchées [...].
> — Nous ne pourrons plus revenir, dit Franz.

Pour ce présent devenu " réel ", les passés initiaux assuraient une vantardise, un " naguère virtuel ". Comme ce présent accède bientôt lui-même à l'île et reprend une partie des faits inscrits initialement au passé, ce passé devient au contraire " prophétique ". Continuant à développer ses décalages et ses croisements, *le Chemin du retour* offre donc, pour l'essentiel, une machine à transmuter les réalités.

Le monde de la fiction est donc cet hybride curieux, empêché, par les lois scripturales de fonctionner quotidiennement, et en revanche retenu, par la notion d'univers, de représenter exactement les fonctionnements qui l'instaurent. Cette tension permet de comprendre combien il suffit que les principes de composition d'un texte se fassent *spécifiquement astreignants* (par exemple en se contestant l'un l'autre), pour que la correspondante fiction s'affole à les représenter, multipliant les hypothèses contradictoires. Cette perspective permet de définir *la soif réaliste* : tentative de produire une fiction où les mécanismes d'allure quotidienne, loin de s'épuiser à donner une image des lois du texte, s'y superposent avec une certaine aisance.

Nulle œuvre, si opposée soit-elle au réalisme, qui n'ait subi quelque part l'assaut de ce désir de sécurité. Dans l'optique des réalités variables, le miroir dispose d'un statut privilégié. Si son orientation est convenable, un miroir n'a-t-il point l'aptitude, par lui-même, dans le monde quotidien, de faire prendre pour réelle la virtualité d'un reflet ? *Les trois Visions réfléchies*, en apparence, établissent leurs sortilèges davantage par la force d'une physique préalable que par les vertus de la narration.

Dans la première, *le Mannequin*, l'espace ordinaire d'une pièce où l'on s'apprête à opérer un essayage voit sa " réalité " corrompue par toutes sortes de reflets qu'agence le double jeu d'un miroir mural et d'une armoire à glace. Peu à peu, entre les différentes images s'établit une confusion qu'attestent les articles indéfinis.

> Il y a ainsi au-dessus de la cheminée trois moitiés de fenêtres qui se succèdent, presque sans solution de continuité, et qui sont respectivement (de gauche à droite) : une moitié gauche à l'endroit, une moitié droite à l'endroit et une moitié droite à l'envers.

Le volume se laisse ainsi envahir par une ubiquitaire pléthore de similitudes. De même, la troisième pièce, *la Mauvaise direction*, présente une dangereuse contestation de l'espace d'un sous-bois par le reflet d'une mare, si bien que le promeneur en est désorienté :

> C'était là le but de sa promenade. Ou bien, s'aperçoit-il, à ce moment, qu'il s'est trompé de route ? Après quelques regards incertains aux alentours, il s'en retourne vers l'est à travers bois, toujours silencieux, par le chemin qu'il avait pris pour venir.

*Le Remplaçant* opère pour sa part ce qu'il faudrait nommer un miroitement par la disposition des choses. Voici une rassurante salle d'étude. Or, très vite, avec une singulière insistance, surgissent des phénomènes de duplication. Au bureau, un *remplaçant*, doublure du titulaire, et comme son reflet, dans le rôle d'un *répétiteur*, exerce les élèves en les invitant à *relire* (selon, donc, plusieurs dédoublements) un texte étudié en classe.

> Le répétiteur frappa sur le bureau du plat de sa main : " Comme nous l'avons dit, virgule, les deux frères... " Il retrouva le passage de son propre livre et lut en exagérant la ponctuation " Reprenez " Comme nous l'avons dit, les deux frères s'y trouvaient

déjà, afin de pouvoir, le cas échéant, se retrancher derrière cet alibi... " et faites attention à ce que vous lisez ".

Après un silence, l'enfant recommença la phrase : " Comme nous l'avons dit, les deux frères... "

Mieux, la lecture concerne la confection d'un *alibi*, cette façon de reflet de soi-même, par les *deux frères*.

Soyons plus attentifs. L'on connaît les caractères physiques de l'image fournie par un miroir plan : elle est virtuelle et symétrique de son objet par rapport à la face réfléchissante. Ici, précisément, élèves et maître se trouvent en situation symétrique : ils se font face; leur livre est ouvert à la même page; ils sont pareillement distraits; ils fixent leur attention sur une silhouette qu'ils sont respectivement seuls à voir (le répétiteur : l'étudiant au pied de l'arbre; les enfants : le bonhomme en papier blanc). Dans la mesure où elles occupent la même place dans deux systèmes symétriques, les deux silhouettes deviennent symétriques à leur tour — et chacune tend à devenir l'image de l'autre. Aussi n'est-il pas surprenant de les voir séparer par le verre de la fenêtre qui devient la matérialisation du plan miroitant de symétrie. L'espace homogène initial se trouve virtualisé en pans entiers, variables, par une secrète vibration.

Produits par surfaces réfléchissantes ou disposition symétrique des objets, les miroitements et leurs conséquences, dans les trois cas, ont été *constatés* plutôt que *suscités* par la narration.

Cependant la similitude, dont on imagine quelle contestation du " réel " dans la fiction elle peut obtenir, n'est pas condamnée à ces options réalistes. Il peut exister des *miroirs narratifs*. Ainsi faut-il sans doute nommer les variations sur un thème que dispose *la Jalousie* en divers points de son cours. Présentée par un narrateur unique s'effaçant derrière sa narration, la scène de l'écrasement du mille-pattes, par exemple, est maintes fois reprise, avec des variantes progressives et selon une homogénéité d'écriture qui la fonde à chaque fois dans une égale " réalité " :

> ... Une scutigère de taille moyenne (longue à peu près comme le doigt) est apparue, bien visible, malgré la douceur de l'éclairage (p. 62).

... Il y a le mille-pattes. Il est gigantesque : un des plus gros qui puisse se rencontrer sous ces climats. Ses antennes allongées, ses pattes immenses étalées autour du corps, il couvre presque la surface d'une assiette ordinaire (p. 163).

Ainsi est-ce non plus cette fois un " réel " qui soudain se virtualise, mais des virtualités qui, en chaque occurrence, se *réalisent*. On est passé des *réalités variables* aux *variantes réelles*. *La Jalousie* peut se définir une machine opérant l'actualisation des possibles. Or, si les " possibles " deviennent " réels ", ils entament par leur pléthore le " réel " lui-même.

Irréductible à un quelconque fonctionnement quotidien, la narration pulvérise ici le couple d'opposition " réel-virtuel ", inventant et démontrant un espace absolu de la création.

## V. LECTURE : BANALISATION ET DÉCHIFFREMENT

Nous l'avons vu : la banalisation réaliste prétend réduire la fiction issue d'une écriture à la copie d'un fonctionnement préalable. Ainsi assimile-t-on la structuration métaphorique de *la Recherche du Temps perdu* au fonctionnement de la mémoire. La technique revient en somme à *motiver de l'extérieur* ce qui se trouve écrit. Si Bruce Morrissette et Lucien Goldmann sont choisis maintenant comme base de discussion, c'est que le premier a soutenu l'œuvre de Robbe-Grillet de commentaires très subtils tandis que l'autorité du second s'est accrue avec ses récentes recherches sur le roman. En outre l'un et l'autre, en s'intéressant au titre du *Voyeur*, nous fournissent un sujet précis.

Pour Bruce Morrissette qui se risque à envisager *le Voyeur* " presque comme un cas classique de schizophrénie ", Mathias ne saurait être le voyeur :

> Mais Mathias n'est pas le VOYEUR du titre et sa personnalité, loin d'être nulle, transparente, ou même ambiguë, fonctionne presque comme un cas classique de schizophrénie cyclique, teintée d'érotomanie sadique.

D'abord, le VOYEUR. Une fois rejeté le prétendu rapport entre le personnage de Mathias et " la minutie, la méticulosité de l'observation " (Pierre Lagarde) dans la description robbe-grilletienne, il convient de chercher pour VOYEUR un sens plus exact, non plus basé uniquement sur l'idée de géométrie ou de minutie visuelle. Cet autre sens, évidemment tend à redonner au mot son acception coutumière : le VOYEUR est celui qui observe les actes érotiques d'autrui sans y participer et de préférence sans être lui-même observé. Le seul critique à tenir compte de ce sens du mot VOYEUR (Robert Champigny) s'élève contre le titre du roman, objectant que le mot ne correspond pas au personnage du héros : Mathias, au lieu d'être un voyeur passif, commet un meurtre accompagné d'actes sadiques et peut-être même de viol [...]. Le VOYEUR donc, c'est Julien.

Pour Lucien Goldmann, qui s'efforce de montrer que l'œuvre de Robbe-Grillet est réaliste dans le " sens de création imaginaire d'un monde dont la structure est homologue à la structure essentielle de la réalité sociale au sein de laquelle l'œuvre est écrite ", Mathias n'est qu'un voyeur parmi d'autres :

> Le voyeur est donc, à un niveau immédiat, MATHIAS LUI-MÊME [...]. Pourtant la grande découverte de Mathias, découverte qui se fera progressivement au cours du récit, c'est que, non seulement il lui est impossible de cacher un assassinat auquel sa crainte le ramène constamment, mais surtout que son effort est superflu puisqu'il s'appuie sur une représentation entièrement fausse de la réalité sociale. En effet, Mathias commence par découvrir qu'il y a dans l'île deux personnes qui ont été témoins de l'assassinat (le fait est du moins certain pour l'une des deux personnes et très probablement pour l'autre), et qui toutes deux s'acharnent à démontrer l'inexactitude de ses affirmations chaque fois qu'elles tendent à camoufler son acte. Cette constatation fait naître en lui une angoisse, passagère cependant, car il s'aperçoit bien vite que si l'un et l'autre des deux témoins s'attachent sans doute à corriger ses déclarations, ils ne le font que par souci de vérité, et n'ont aucunement l'intention de le dénoncer et de le faire poursuivre : CE SONT DE SIMPLES VOYEURS. Bientôt Mathias découvre que tous les habitants de l'île qui, dans ce roman comme dans toute œuvre d'art, constituent, non pas un secteur partiel d'un univers global, mais cet univers lui-même, pourraient très facilement, avec un minimum d'effort, découvrir l'assassin, mais qu'ils ne s'y intéressent pas plus que le jeune Marek ou la petite Maria.
>
> Ainsi l'univers est constitué uniquement de voyeurs passifs qui n'ont ni l'intention ni la possibilité d'intervenir dans la vie

de la société pour la transformer qualitativement et la rendre plus humaine.

Que les commentaires de Bruce Morrissette et de Lucien Gold-mann se portent une réciproque contradiction ne nous arrêtera point : c'est la commune attitude de ces deux critiques qui doit plutôt nous retenir.

S'étant risqués l'un comme l'autre à imposer au livre un fonctionnement extérieur, relevant de la psychiatrie ou de la sociologie, ils rencontrent chacun une inévitable résistance. Dans la perspective de Morrissette, *le Voyeur* ne devrait pas s'intituler *le Voyeur*; dans celle de Goldmann, le titre devrait être *les Voyeurs*. La critique réaliste engendre donc un impérialisme du sens préalable : elle invite volontiers l'œuvre à s'allonger sur le lit de Procuste. Elle prend moins les mesures du texte qu'elle n'imagine un livre à la dimension de ses présupposés.

Le déchiffrement, en revanche, est la tentative de lire une fiction comme la représentation de ce qui l'institue. En cette optique, le titre nous semble relever d'une parfaite cohérence.

Personnage central, Mathias est voyageur de commerce. Or, précisément, le livre s'est d'abord intitulé *le Voyageur*. Le glissement de voyageur à voyeur repose sur deux appuis. D'une part l'abondante description qui fonde le texte " s'incarne " majoritairement dans l'excessive attention de Mathias, et d'autre part un jeu de consonances. Celui-même que Francis Ponge notait dans son *Porte-Plume d'Alger* :

> Pourtant plus en français qu'en aucune langue... Je ne serais pas l'homme que vous connaissez, cher ami, ne SACHANT qu'en voyage il y a voir, qu'en voyage voir est venu et qu'il s'en est fallu de peu, sans doute, que voyager fût dit de l'action même de voir [...] (Étymologistes, ne bondissez pas ! N'arrive-t-il pas que deux plantes aux racines fort distinctes confondent parfois leurs feuillages ? Voilà de quoi il s'agit.)

Soignons notre lecture. En ce livre, la narration subit irrécusablement une hantise. C'est qu'elle doit *taire* un fragment fictif alors que son principe, la mise en place d'un emploi du temps, l'oblige au contraire à le désigner d'une façon expresse. Ce qui métamorphose le *voyageur* de commerce Mathias en un *voyeur* coupable (songeons à la page 222 où l'hallucinatoire dédoublement

" voyageur et Mathias ", révélant le mécanisme, suscite le malaise du voyeur) n'est rien d'autre que le vide qui s'est creusé dans sa journée dans l'île. Tel hiatus, nous inclinons à le lire comme l'indice d'un autre évidement, celui-même qu'une soustraction creuse au centre du mot

VOYAGEUR

pour obtenir

VOY    EUR.

Par une création rousselienne probablement intuitive, le roman propose au niveau de son récit la résolution d'une opération poétique. Nul intitulé n'est donc plus opportun, nous semble-t-il, qu'un tel dépositaire du livre. Qu'il ait gêné diverses réductions réalistes ne saurait donc point trop nous surprendre.


Peut-être est-il maintenant possible de nuancer notre analyse des *Trois Visions réfléchies*. Sans doute, les miroitements offerts par ces textes semblent davantage *constatés* que *suscités* par la narration. Mais telle évidence ne doit pas oblitérer la désignation qu'ils opèrent de phénomènes d'ordre architectural.

Rapprochons d'abord la première et l'ultime phrase des *Trois Visions* :

> *La cafetière* est sur la table. [...] Mais pour le moment, on ne distingue rien, à cause de la *cafetière*. (*le Mannequin.*)
>
> *L'étudiant* prit un peu de recul et leva la tête vers les branches les plus basses. [...] Bientôt tous les regards contemplèrent de nouveau le *bonhomme* en papier blanc. (*le Remplaçant.*)
>
> Les eaux de pluie se sont accumulées au creux d'une dépression sans profondeur, formant au milieu des arbres une vaste *mare*, grossièrement circulaire, d'une dizaine de mètres environ de diamètre. [...] Au fond des bandes d'ombre, resplendit l'*image* tronçonnée des colonnes, inverse et noire, miraculeusement lavée. (*la Mauvaise Direction.*)

En chaque cas, le texte a établi une *symétrie narrative* entre des éléments du récit, images respectives dans le second, dédoublement du même dans le premier et le troisième.

Comparons maintenant le premier et le troisième texte. En retournant sur ses pas, le promeneur de *la Mauvaise Direction* s'efforce d'échapper aux sortilèges des reflets. Or, *le Mannequin* se termine également par une esquisse de fuite. Les quatre derniers paragraphes abandonnent lisiblement le principe de la description scrupuleuse et les miroirs; ils tentent, dirait-on, de revenir à un ordre habituel, précisant combien était exceptionnelle la disposition des choses :

> Le mannequin n'est pas à sa place : on le range d'habitude dans l'angle de la fenêtre, du côté opposé à l'armoire à glace. L'armoire a été placée là pour faciliter les essayages.

accordant à la cafetière, qui efface " les deux grands yeux un peu effrayants " du dessous de plat des caractères rassurants :

> Une *bonne* odeur de café *chaud* vient de la cafetière qui est sur la table.

Formés l'un et l'autre de divers dédoublements optiques suivis d'un retour à un espace plus ordinaire, ces deux textes sont liés par une indiscutable parenté. Cette miroitante similitude peut se lire comme la *représentation* de l'agencement des trois textes dans un *dispositif*. *Le mannequin* et *la mauvaise direction* sont symétriques par rapport au texte central, *le remplaçant* qui, centre de ce dédoublement, tient lieu de *miroir structurel*.

Ainsi y a-t-il souvent lieu d'envisager la tentation réaliste comme une *technique du malentendu*, par laquelle la banalisation et le déchiffrement d'une certaine façon s'équilibrent, le texte bénéficiant à tout coup, comme les deux frères, d'un alibi.

Revenons, pour conclure, au *Sorcier ajourné*. Nous avons vu combien ce conte refuse toute réaliste réduction : si l'on peut admettre que le doyen est halluciné par sorcellerie, il est impossible d'étendre cette influence jusqu'au lecteur. Celui-ci a subi une magie tout autre, issue de l'*écrit*. Cette lecture peut recevoir maintenant une radicale amélioration.

Nous prétendons que, selon diverses manières qu'il importe d'éclaircir, le récit s'efforce de montrer ce qui le fonde. Or, nous avons vu comment *le Sorcier ajourné*, par un usage au second degré de ce jeu, dissimule son fondamental fonctionnement. Une lecture moins superficielle nous aurait cependant révélé, à l'inverse, de quelle façon, y trouvant une complémentaire source d'inspiration, le texte n'oublie pas de nous montrer ce qui l'institue.

La communauté des langages des deux séquences, se trouve renforcée, nous l'avons dit, au niveau des deux noms propres : " Il partit donc pour Tolède " et " Ils partirent tous trois pour Toulouse " par la correspondance des initiales. Or le texte précise : " ... il parut au doyen qu'ils avaient descendu si profond que *le lit du Tage devait être au-dessus d'eux* ". Détail oiseux, en cette prose où tout est mesuré, si l'on ne distingue que, de cette manière, le texte se place *sous le signe du T.*

D'ultimes révélations nous sont permises. Quel est donc le principe de la sorcellerie dont le doyen est victime :

> Au bas de l'escalier, il y avait une cellule, *une bibliothèque* et u**n**e sorte de cabinet empli d'instruments de magie. *Ils regardaient les livres*, quand deux hommes entrèrent, porteurs d'une *lettre* pour le doyen.

Elle ne repose pas sur les instruments de magie, ni sur une cabalistique gesticulation. Don Illan se contente de faire *lire* le doyen, choisissant *la sorcellerie qui émane du texte*. Mieux : cette lettre n'est rien d'autre, par rapport à la lecture des livres, qu'une *digression*, celle-même qui est partout ailleurs dissimulée.

C'est parce que, tout comme le lecteur qu'il *représente*, il n'en a point compris le caractère, que le doyen sera *piégé par l'écrit*. Non seulement la fiction désigne incontestablement la magie comme le fonctionnement d'une écriture, mais elle se moque encore, pour notre plus vive joie, de toute lecture ignorante du déchiffrement.

# UN ORDRE DANS LA DÉBÂCLE

*Hé bien ! par exemple, tout ce que vous lisez, je suppose,
dans le récit d'un narrateur militaire, les plus petits faits,
les plus petits événements, ne sont que les signes d'une idée
qu'il faut dégager et qui souvent en recouvre d'autres, comme
dans un palimpseste.* (MARCEL PROUST.)

Si, comme nous le supposons, une fiction se développe notamment de manière à représenter la narration qui l'érige, alors, deux attitudes ordinairement complémentaires se trouvent en même temps évacuées : concevoir l'univers fictif à la façon du monde quotidien, trancher de l'écriture selon de préalables canons. L'apparent relâchement verbal de *la Route des Flandres* nous incite à préciser, à définir, à démontrer quelle cohérence lie, en ce roman de Claude Simon, narration et fiction. A cet effet comparons les caractéristiques essentielles de chacun des niveaux du livre.

## I. UN UNIVERS EN DÉCOMPOSITION

La fiction de *la Route des Flandres* déploie un monde en complète désagrégation. La situation ouvertement privilégiée est cette débâcle de l'armée française en 1940 dans laquelle se trouvent pris divers protagonistes : Georges le narrateur; son cousin le capitaine de Reixach qui a choisi pour ordonnance Iglésia son ancien jockey; Blum et Wack; les chevaux. Il est possible de réduire à cinq rubriques le désordre suscité par cette débandade.

Avec l'affaiblissement et la dissociation des unités :

Son escadron lui-même était à peu près tout ce qui avait fini par rester du régiment tout entier avec peut-être quelques autres cavaliers *démontés* perdus par-ci par-là dans la nature...

avec l'avilissement de la discipline qui le cimentait :

Par la suite je me contentai simplement d'en faire encore moins [...] je n'avais plus qu'à passer un chiffon sur les aciers et de temps en temps un petit coup de toile d'émeri quand ils étaient vraiment trop *rouillés*...

tout un *ordre militaire* est en voie de s'abolir.

Ces troubles s'accompagnent d'une désorganisation de *l'ordre social.* Épars sur les routes, les civils ont perdu leur essentielle fonction : le métier. Et s'il arrive qu'un paysan, en présence du capitaine, se risque à menacer un représentant municipal, c'est un renversement direct de l'ordre civique qui tend à se produire.

La dislocation des carrosseries :

... ces vieilles guimbardes aux tôles et aux pièces *rouillées, cliquetantes, rafistolées* à l'aide de bouts de fil de fer, *menaçant* à chaque instant de s'en aller en *morceaux*...

et la mise hors d'usage des moteurs accentuent en outre, dans l'*ordre mécanique*, ce général courant de détérioration.

L'espace militaire traditionnel, cet *ordre spatial*, hiérarchisé en un front et des arrières, doté d'un sens, se dépolarise avec la disparition de la ligne des combats, l'inextricable imbrication des deux armées. Dans ces Flandres uniformes, sans repères indiscutables, l'espace de la déroute (les embuscades étant partout possibles, derrière la moindre haie) est une surface désorientée qui se révèle dynamiquement (les hommes vaincus, perdus, tournant en rond) désordre labyrinthique.

L'*ordre temporel* de la chronologie se défait parallèlement. Épuisés par leurs incessantes chevauchées, ou ailleurs par leur entassement en wagon à bestiaux, les soldats subissent de longues " absences ". En dessinant des boucles qui se recoupent, leur itinéraire ramène à diverses reprises le même spectacle (le cheval mort), si bien que l'intervalle de temps qui sépare les deux apparitions tend à se contracter, à se gommer. A l'inverse, la similitude des événements (sur ces routes il y a sans doute maint cheval mort, mais, *déjà*, c'est encore *le* cheval) distend cette séparation. Vivant telles syncopes spatiales et temporelles, les soldats :

> Mais j'ai déjà vu ça quelque part. Je connais ça. Mais quand ? Et où donc ?...

perdent la notion de l'espace et du temps.

Puisque ces diverses variantes sont connexes, cette quintuple dégradation peut s'entendre comme les espèces d'une anecdote à prétention réaliste. Si l'on prétend montrer au contraire que la fiction s'efforce, à sa manière, d'évoquer l'écriture qui la produit, alors il faut découvrir, indépendants de cette militaire débâcle, de nouveaux exemples d'avilissement.

L'ordre se caractérise toujours, en quelque manière, par une forme. La pluie installe dans l'*ordre physique* une dissolution :

> Il avait recommencé à pleuvoir, ou plutôt le pays, le chemin, le verger s'étaient remis à *fondre*, silencieusement, lentement, *se désagrégeant, se dissolvant* en une fine poussière d'eau qui glissait sans bruit, *délayant* les arbres, les maisons...

que la chaleur accompagne dans l'*ordre physiologique*, en accélérant les pourritures.

> ... semblable à une armée en marche surprise par un cataclysme et que le lent glacier à l'invisible progression restituerait [...] à moins que tout ne se mette à *pourrir* et à *puer*, pensa-t-il comme ces mammouths... " [...] " ... l'été *pourrissant* où quelque chose finissait définitivement de se *corrompre, puant* déjà...

Avec l'histoire de la famille de Reixach, transmise par Sabine, la mère du narrateur, c'est un *ordre généalogique* qui peu à peu se faisant. Sabine n'a en effet retenu que les événements péjoratifs :

> ... en rapportant ces histoires scandaleuses, ou ridicules ou infamantes, ou *cornéliennes*, elle désirait *déprécier* cette noblesse...

En cette perspective, certain de Reixach, délégué de la Convention aux armées détermine une situation parfaitement caractéristique. Sa femme était probablement infidèle. L'adultère trahit la corruption de l'unité conjugale et familiale. Par la menace des enfants adultérins, il agresse l'homogénéité de la descendance. C'est en quelque façon dans leur chair même que le capitaine et le narrateur sont touchés.

La mort, et le suicide surtout, ce chatoiement de réussite et d'échec, comptent parmi les plus forts accomplissements de la dévastation qui hante le livre. L'hypothèse des suicides est ici avancée selon le schéma d'une somme de forces centrifuges qui conduisent à l'éclatement. En se suicidant à l'issue d'une défaite des armées, le Conventionnel de Reixach subit les influences mêlées du désastre militaire, de la disjonction de sa vie conjugale, et de cette plus subtile désorganisation d'une personnalité par les idées reçues (de Rousseau par exemple) :

> ... cet incendiaire bavardage de vagabond touche-à-tout, musicien exhibitionniste et pleurard qui, à la fin, lui fera appliquer contre sa tempe...

Tracée selon un dessin similaire, la mort du capitaine de Reixach dans une embuscade devient par analogie un probable suicide issu de voisines forces corruptrices : débâcle de quarante, adultère de Corinne avec Iglésia, idées reçues (certain esprit mal assimilé de Saumur). Avec la mort, en outre, l'anéantissement conjoint d'un monde et de la personne qui l'orientait se double d'une corporelle décomposition.

Or cette ultime expérience, où s'accomplissent toutes les dislocations, contient le germe d'un mouvement inverse :

> ... comme si au dernier moment leur avait été révélé quelque chose à quoi durant toute leur vie ils n'avaient jamais eu l'idée de penser, c'est-à-dire sans doute quelque chose d'absolument contraire à ce que peut apprendre la pensée, de tellement étonnant, de tellement... [...] ... comme s'il avait abandonné, renoncé au spectacle de ce monde pour retourner son regard, le concentrer sur une vision intérieure plus reposante que l'incessante agitation de la vie, *une réalité plus réelle que le réel*...

Il semble ainsi que le désordre, en son excès même, contienne l'aptitude à une recomposition. Avant d'étudier ce dynamisme contraire nous porterons notre intérêt sur une curieuse détérioration du discours.

## II. LA DÉBÂCLE D'UN DISCOURS

Dans *la Route des Flandres*, la continuité narrative voit son unité à maintes reprises contestée par un usage violent du calembour. Évoquant, avec le désastre, les habitudes du capitaine de Reixach, le narrateur déclare :

> ... ces réflexes et traditions ancestralement conservées comme qui dirait dans la Saumur.

Observons les deux composantes sémantiques du mot Saumur ainsi employé (sens capté : le sel; sens véritable : école militaire). Dans le calembour ordinaire, le sens second vient soutenir, non sans surprise, le sens premier, puis le discours, après cette alerte, reprend son fil. Nous assistons ici à un tout autre phénomène : ce calembour devient une *charnière structurelle*. Le sens approché et le sens véritable jouissent d'une manière d'équivalence. Le mot Saumur joue dès lors le rôle d'un *aiguillage*. Instantanément, la phrase bifurque vers une autre voie, l'évocation de Corinne en ce qu'elle fit abandonner à de Reixach le prolongement de Saumur : la carrière. Mais il existe une autre rupture de la continuité du discours :

> ... toute la lumière et la gloire sur l'acier *virginal*... Seulement, *vierge*, il y a belle lurette qu'elle ne l'était plus...

Le transit s'y accomplit d'un sens figuré vers un sens propre, si bien qu'il faut parler ici de *métaphore structurelle*. Cette dislocation par vocables distributeurs tend à exempter le langage de sa fonction instrumentale. Une métaphore peut devenir soudain charnière : elle se subordonne alors le discours qui, sensible aux incidences sonores du lexique, est en outre à la merci de toute brusque paronomase.

En leur emploi traditionnel, comparaisons et précisions, évocations des détails et parenthèses sont des facteurs d'approfondissement du discours. Ici, ils se métamorphosent en disjoncteurs, amorçant des changements de direction, introduisant des annexes bientôt accrues jusqu'à devenir principales. Cette disposition autorise un curieux usage, comme *a contrario*, de la conjonction *donc*. Destiné à renouer avec le thème majeur, *donc* se trouve diverses fois inscrit à l'issue d'une annexe hypertrophiée qu'il sectionne

48

alors qu'elle est devenue thème majeur. Quant au fil initial auquel le *donc* se réfère, il est maintenant si lointain que le nouveau développement ne peut aucunement en constituer la reprise; nous lisons une nouvelle digression.

Cette panoplie séditieuse s'enrichit d'une hérétique ponctuation. Rien ne vaut un point pour terminer une phrase. Or, très souvent ici, le point est placé comme *au milieu* de la phrase, dont le mouvement semble se poursuivre au-delà. Plus agressive semble encore la quasi-absence de ponctuation que risque telle version italienne en français d'autrefois :

> La vingt-huitième Estampe et les trois autres semblables sont aufsi belles et aufsi nobles les unes que les autres et paraifsent être faites de la même main tout dans la femme Centaure est gracieux, et délicat, et tout mérite D'être regardé avec une attention particulière le nœud et la jointure ou la partie umaine finit avec la partie cheval...

Mais, très vite, la lecture surmonte avec aisance la défaillance des signes. Le comble du désordre, c'est plutôt l'instabilité. Au pur défaut de ponctuation, il convient de préférer, une fois encore, l'usage adverse. Établissant l'inaptitude du point à conclure une phrase, la narration détermine une sensibilité particulière à cette ponctuation contaminée. Elle instaure un réflexe appris; elle dresse le lecteur. Si en mainte occurrence un point ne termine pas une phrase, n'est-on pas induit à croire, en revanche, s'il paraît en clore une, que cette fin est illusoire ?

Une voisine étude des virgules, alinéas, chapitres mêmes, retrouverait non moins *cet usage par la dérision.*

Privée de la stabilité de ses limites (de sa *peau* : il faudrait reprendre ici l'idée de *dépiautage* qui hante le livre) la phrase est informe. En outre, sa longueur même, prolongée quelquefois sur plusieurs pages, ajoute, au niveau de la lecture, de supplémentaires perturbations. Pendant la lecture d'une phrase, l'attention du lecteur est une sorte de mobile dont la position se définit par rapport à la majuscule première et au point final. Ces deux distances inversement proportionnelles, abscisse rétrospective et abscisse prospective, situant le détail dans l'ensemble et le moment dans le temps, ordonnent essentiellement la perception globale, rythmique, bref unitaire de toute phrase. Par leur simple éloignement matériel les extrémités *polaires* se perdent de vue et la lecture se trouve privée de son orientation.

Se procréant en quelque sorte lui-même par d'étranges aptitudes, le langage entraîne une anarchie du discours telle que le passage du " réel " à " l'imaginaire " s'amorce couramment sans avis. Mieux : livré à soi, il tend à expulser celui qui est censé le produire. L'absence des tirets dans les dialogues assure qu'il n'y a plus, à vrai dire, changement d'interlocuteurs : le dialogue se prolonge de lui-même grâce à ses propres mécanismes.

Si le dualisme, support organique de tout dialogue, se désagrège en la confuse unité d'un langage qui monologue, l'unité confuse de la narration, à l'inverse, éclate en se portant parfois sur divers narrateurs : du narrateur-je au narrateur-Georges, de Georges à Blum, camarade de Georges en ce qu'il est surtout complice de cette tentative d'éparpillement du discours :

... et Blum (ou Georges) : " c'est fini ? ", et Georges (ou Blum) : " je pourrais continuer ", et Blum (ou Georges)...

Cette anarchie ne ménage-t-elle pas l'espace d'un certain mode de recomposition ? Nous l'examinerons plus loin. Auparavant, la fiction doit être relue.

### III. RECOMPOSITION DU MONDE

L'ultime révélation métaphysique à laquelle le moribond accède nous a semblé pressentir le retournement où, dans l'extrême désordre, un ordre nouveau est obtenu. Cette volte-face se produit au niveau même des événements. En l'absence du fil directeur qui eût pu les lier selon une hiérarchie univoque, ceux-ci perdent leur sens institué. Privés de ce sens, ils retrouvent l'intégrité de leur forme, cette faculté inépuisable de signifier. Ils héritent de l'aptitude à s'accorder les uns les autres selon de nouveaux dispositifs, de composer un ordre second sous-jacent à la dislocation de l'ordre premier.

En cette perspective, la déchronologie joue un rôle capital. Libérés de la pure succession chronologique qui les eût liés par une seule de leurs faces, les événements sont rapprochés de toutes les manières, mis en présence selon une sorte de présent éternel, où l'ordre chronologique le cède à un *ordre morphologique*.

Si ce nouvel agencement est de nature érotique, on le doit à l'anecdote (*chevauchant*, entassés dans un wagon, prisonniers, les soldats sont privés de femmes) comme à la place particulière de l'érotisme dans l'ordre morphologique. Alors que l'imposition d'un sens à une forme l'efface, la réduit au simple état d'ustensile (et, même, avec le concept d'arbre c'est *cet* arbre qui disparaît), le désir, loin de *se servir* de la forme, ne peut exister qu'à son niveau même. La forme, en ses processus, est douée d'un pouvoir *d'aimantation*.

L'effet de la déchronologie est soutenu par la dislocation de l'espace instrumental. Une dimension privilégiée se libère, où les éléments érotiques, temporellement mobiles, se rejoignent, prennent du relief, accordent leur ressemblance. De cette manière se constituent des *séries* qui, nouant entre elles de latérales relations, composent, en cet enrichissement réciproque, des *faisceaux érotiques*.

La tresse faite de fibres féminines (les évocations, par exemple, de la jeune fille dans la ferme) et viriles, notamment marquées par le fusil :

> ... car peut-être ce *viril* attirail de chasseur — l'arme...

et la croix :

> ... la haute croix de cuivre fichée dans le cornet de cuivre du baudrier qui pend à hauteur de son bas-ventre (si bien qu'il semble tenir à deux mains dans un geste enfantin, équivoque et canaille, quelque symbole *priapique* démesuré jailli entre ses deux cuisses, noir et surmonté d'une croix)...

en arrive à fusionner dans la série du chiffon rose. Choisie par Corinne, la casaque *réunit* symboliquement le féminin :

> ... cette casaque dont elle avait elle-même choisi les couleurs et qui semblait (de cette même matière, brillante dont on fait les *dessous* — soutien-gorge, culotte et ces porte-jarretelles noirs — *féminins*)...

et le masculin :

> ... cette casaque rose vif, tirant sur le mauve qu'elle avait en quelque sorte imposée à tous deux (Iglésia et Reixach) comme une sorte de *voluptueux* et *lascif* symbole (comme la couleur d'un ordre ou plutôt les insignes de leurs fonctions pour ainsi dire *séminales* et *turgescentes*)...

Ainsi, par leur agencement, toutes sortes de substituts sexuels, désignant avec insistance le coït, ordonnent cet univers d'une précise finalité.

Contraire d'une rupture, mouvement vers l'origine de la vie que représente le retour symbolique du corps dans le lieu créateur, l'accouplement est, ici, l'inverse de la mort. De même que celle-ci, paradoxalement, suscitait comme une ultime vision unitaire, l'accouplement est porteur d'une désintégration à plusieurs niveaux : une régression bestiale efface la conscience :

> ... Je n'étais plus un homme mais un animal, un chien plus qu'un homme...

Et Corinne refuse, en l'acte même, de se considérer comme finalité absolue de cette recomposition :

> ... est-ce que tu peux comprendre, est-ce que tu peux imaginer que pendant cinq ans je n'ai rêvé que de toi, et elle : Justement, et moi : Justement ? et elle : oui Laisse-moi...

Enfin, le désir n'accomplit ses développements que sur le vœu de sa propre destruction.

L'érotique genèse n'institue ainsi nul monde stable. Elle est pur effort, toujours menacé, vers une organisation. L'ordre qu'elle postule n'accède à aucune définitive évidence : il reste hypothétique.

## IV. LES DESSOUS D'UN LANGAGE

Nous l'avons noté : le langage de *la Route des Flandres* évite d'être cet ustensile par l'usage duquel un sens univoque se communique. Tandis que tout un roman traditionnel se plaît à fragmenter le discours en spécialités (descriptions, dialogues, analyse, etc.), le langage, ici désarticulé, libère les mots de leur servage à l'égard d'un sens institué. Les mots deviennent des centres *d'irradiation sémantique* qui, sous la croûte de leur sens immédiat, tendent à recomposer entre eux, de proche en proche, les relais d'un langage sous-jacent, libre et mobile, où jouent toute manière de sens seconds.

Nous retiendrons seuls des exemples flagrants. Par son aptitude métaphorique continue, la langue verte vient doubler le discours d'argotiques sous-entendus. Parlant du paysan qui menaçait de son fusil l'adjoint au maire, Blum risque cette allusion :

> Après tout il a bien le droit de tirer son coup lui aussi quand tout le monde tout partout brandit sa petite pétoire. Après tout c'est la guerre.

Insensiblement conditionné, le lecteur devient capable de déceler la raison de l'étrange équivoque du titre, ce filigrane : *la Route des Flancs*.

Sans doute l'émergence du sens second ne se produit pas toujours selon cette *cohabitation sémantique* stable. Les deux sens, propre et figuré, ouvrent parfois entre eux un conflit en lequel l'allusion statique laisse place à une dynamique de la méprise où les thèmes se combattent, se renforcent et s'échangent selon une sorte de *polyphonie sémantique* :

> ... a voulu lui aussi monter cette alezane, sans doute parce que à force de voir un vulgaire jockey la faire gagner il pensait que la monter c'était la mater, parce que sans doute pensait-il aussi qu'elle (cette fois je parle de l'alezane-femme, la blonde femelle qu'il n'avait pu ou n'avait su, et qui n'avait d'yeux — et vraisemblablement autre chose aussi que les yeux — que pour ce...). Bref : peut-être a-t-il pensé qu'il ferait alors, si l'on peut dire, d'une pierre deux coups, et que s'il parvenait à monter l'une, il materait l'autre, ou vice versa, c'est-à-dire que s'il matait l'une il monterait l'autre aussi victorieusement, c'est-à-dire qu'il l'amènerait elle aussi au poteau, c'est-à-dire que son poteau à lui l'amènerait victorieusement là où il n'avait sans doute jamais réussi à la conduire, lui ferait passer le goût ou l'envie d'un autre poteau (est-ce que je m'exprime bien ?) ou si tu préfères d'un autre bâton, c'est-à-dire que s'il réussissait à se servir de son bâton aussi bien que ce jockey qui...

D'autre part, si le calembour structurel a pour raison en cette prose de rompre le fil d'un discours, c'est souvent pour établir par un mouvement contraire le jeu de nouveaux rapports. Telles les séries exemplaires de consonances : " Hirson hérisson hirsute " ou " moule poulpe pulpe vulve ", et surtout celle-ci, d'une plus ample portée :

> ... dans cette robe rouge couleur de bonbons anglais (mais peut-être cela aussi avait-il été inventé, c'est-à-dire la couleur, ce

rouge acide, peut-être simplement parce qu'elle était quelque chose à quoi pensait non son esprit, mais ses lèvres, sa bouche, peut-être à cause de son nom, parce que " Corinne " faisait penser à " corail " ?...)

Libéré de la tyrannie d'un sens institué qui se serait servi de lui, le langage de *la Route des Flandres* obtient des sens en formation. Ayant désorganisé les certitudes un peu courtes, il se reconstruit, en dessous, par tâtonnantes hypothèses.

### V. FORME ET CONTENU :
### RENVERSEMENT D'UNE ANALOGIE

La non-motivation des signes de la langue, que la pluralité des idiomes démontre amplement, n'est certes pas étrangère à l'existence de la littérature. Dans *Crise de Vers*, Mallarmé y voyait un fondement de la poésie :

> mais, sur l'heure, tourné à de l'esthétique, mon sens regrette que le discours défaille à exprimer les objets par des touches y répondant en coloris ou en allure, lesquelles existent dans l'instrument de la voix, parmi les langages et quelquefois chez un. A côté d'OMBRE, opaque, TÉNÈBRES se fonce peu; quelle déception devant la perversité conférant à JOUR comme à NUIT, contradictoirement, des timbres obscur ici, là clair. Le souhait d'un terme de splendeur brillant, ou qu'il s'éteigne, inverse; quant à des alternatives lumineuses simples. Seulement, sachons N'EXISTERAIT PAS LE VERS : lui philosophiquement rémunère le défaut des langues, complément supérieur.

La littérature se définirait ainsi, notamment, comme la tentative d'obtenir, sur de plus larges espaces, l'analogie qui manque dans l'exercice local de la syntaxe et du lexique. La recherche de cette familiarité ne répond pas à une attitude homogène. Le *réalisme* et le *scripturalisme* la partagent en deux courants inverses.

Le réalisme contraint la forme à ressembler au contenu, et signaler de cette manière qu'elle en émane. L'allitération expressive est une occurrence exemplaire de ce procédé. Si Oreste s'écrie célèbrement :

> Pour qui *s*ont *c*es *s*erpents qui *s*ifflent *s*ur vos têtes ?

ce n'est pas sans que la forme, en ses sonorités, ne se subordonne au contenu qu'elle imite.

Avec l'attitude adverse, c'est le contenu, au contraire, qui est sommé de ressembler à la forme. L'exemple le plus simple est celui de la rime, en particulier sous l'espèce paroxystique du calembour. Dans le calembour, le rapprochement des contenus imite l'union des formes sur laquelle il se fonde : c'est la rencontre Saumur-saumure qui est copiée par l'assimilation d'un certain esprit traditionnel et d'une salaison.

Toute fiction, peut-être, au moins par intuition, tend à produire une image des principes narratifs qui l'établissent. Dans *la Route des Flandres*, la débâcle *généralisée* d'un monde et sa tendancielle recomposition selon une perspective érotique, s'efforcent de produire une allégorie des fonctionnements qui les instituent : ainsi s'explique seule, par exemple, la généralisation de telle débâcle.

Cette relation *introvertie* doit retenir. Inverse d'une confortable quête des *bonheurs d'expression,* son établissement constitue l'exploration dangereuse d'un nouvel intelligible romanesque. Voici deux exemples. Si la fiction désigne, quelquefois jusqu'au mime, sa propre narration, il est désormais possible de lui imposer des caractères narratifs d'une vigueur si difficilement assimilable qu'elle soit contrainte d'abandonner l'alibi réaliste et de révéler ses *manières d'interpréter* ce qui la constitue.

D'autre part, la fiction devrait inclure, en son allégorie, son allégorique rapport à la narration, et, comme, dans le texte, *la prise de conscience du texte.* Alors s'ouvrirait, non sans secousses inédites, une perspective où le livre, loin de s'oublier ou déguiser, chercherait, dans son développement même, à comprendre l'événement inépuisable nommé livre.

# LES ALLÉES DE L'ÉCRITURE

> *Le savoir consiste à constituer des collections de singulari-*
> *tés évocatrices. Le jardin du roi ou son parc de chasse doivent*
> *contenir toutes les curiosités animales et végétales de l'univers.*
> *Celles que nul prospecteur n'a su trouver y figurent tout de*
> *même réellement : sculptées ou dessinées. Les collections visent*
> *à êtres complètes, surtout en monstruosités, parce qu'on ras-*
> *semble moins pour connaître que pour pouvoir, et les collections*
> *les plus efficaces ne sont pas faites de réalités mais d'emblèmes.*
> *Qui possède l'emblème agit sur la réalité. Le symbole tient*
> *lieu du réel. On se préoccupe donc des réalités et des faits, non*
> *pour remarquer des séquences et des variations quantitatives,*
> *mais pour posséder et tenir à disposition des rubriques emblé-*
> *matiques et des tables de récurrences constituées en songeant*
> *uniquement aux interdépendances de symboles.* (GRANET,
> *La Pensée Chinoise.*)

Interrogés sur leurs ouvrages, d'innombrables auteurs paraissent un peu trop occupés, aujourd'hui, par la précaution de cacher,
avant tout, que leur roman est un livre. S'ils dissertent avec une
si profuse abondance de personnages, de passions, d'événements,
c'est dans le seul but, semble-t-il, de nous faire oublier qu'ils sont
*écrits*. Déclarant à un journaliste : " J'ai choisi un cahier; je l'ai
divisé en deux parties " en insistant dans plusieurs pages du *Parc*
sur l'acte matériel d'écrire :

> Ici, sur le papier du cahier choisi pour sa couleur, s'alignent
> peu à peu les phrases écrites à l'encre bleu-noir par le vieux
> stylo démodé, d'une écriture fine, serrée, penchée vers la droite
> et qui n'occupe que les trois quarts de la page; lentement, patiem-
> ment avec, souvent, des ratures (un trait simple qui barre une
> ou deux lignes restant malgré tout visibles, ou bien des griffon-
> nages qui recouvrent entièrement ce qui fut écrit) et parfois de
> longs passages sans correction qui marquent sans doute une pré-
> cipitation inattendue, où les lettres se déforment, perdent leur

aspect irrégulier, s'égalisent, deviennent bientôt indéchiffrables, (p. 21).

et sur son apprentissage :

> La main tremble, ainsi que l'ombre du stylo sur la surface blanche quadrillée de fines droites bleues, limitée à gauche d'un trait rouge... (p. 21),

Philippe Sollers met l'accent sur l'acte d'écrire, en signale au contraire les pouvoirs créateurs. Nous ne prétendons décrire ici que des phénomènes très simples, fragmentaires, *simulacres* du fonctionnement intégral de cette écriture créatrice. Voici les premières lignes du livre où quelques segments sont soulignés par nos soins.

> Le ciel, au-dessus des longues avenues luisantes, est bleu sombre. Plus tard je sortirai, je marcherai la tête levée vers lui qui s'obscurcira peu à peu jusqu'à disparaître. Maintenant c'est la ville, sensible tout à coup, montante, pleine de bruits nouveaux et de nuit. Aller. Mais regarder encore la rue et ses arbres jaunis, et en face l'immeuble aux colonnades, aux balcons demi-circulaires, aux toitures de zinc encore claires, aux pièces lumineuses traversées, lointaines, par des femmes dressant le couvert du dîner. Un salon, une salle à manger, une cuisine, une autre cuisine, un autre salon...
> Dans ce fauteuil en cuir, là-bas, à droite de la cheminée et du lampadaire, un homme est assis de profil, un verre à la main. Devant lui une femme par instants s'anime, et je peux voir sa *robe rouge* derrière les rideaux, ses gestes, le mouvement de ses *lèvres* quand elle parle, tandis qu'il s'est penché pour l'écouter, et je crois l'entendre, lui, disant comme d'habitude et distraitement : " Bien sûr ". Oui, rien ne va m'échapper si je m'assieds dans le petit fauteuil traîné sur le balcon étroit où je peux, de biais, allonger les jambes, les poser sur la galerie de fer forgé aux feuillages figés le long des tiges symétriques, courbes, rondes, recourbées, noires. Là-haut les cheminées, alignées en désordre sur les toits, fument, laissent monter dans l'air encore visible un mince panache foncé; et les oiseaux, les hirondelles qui ont mené pendant le crépuscule leurs vols compliqués, se séparent, traversent à tire-d'aile cette large trouée de ciel après la pluie. En bas, le bruit des voitures, des autobus (le ronflement du moteur de l'autobus qui, juste à l'angle de la rue, change de vitesse et

repart; le grondement plus sourd, intermittent et comme clandestin des voitures); les vitrines éclairées (seule la base des maisons devient ainsi continûment visible); les enseignes au néon (*le losange rouge du tabac*); et, *immédiatement en face*, cette femme et cet homme qui bavardent en *souriant* dans le vaste appartement très clair.

Il fait un geste de la main gauche refermée sur *une cigarette*, remuant cette main pour insister sans doute, et la femme se *renverse en arrière*, lève les bras, et, *prise de fou rire*, se plie soudain en avant.

Puis, debout, l'homme pose son verre sur la table basse, la femme se lève à son tour, fait un léger signe de la tête, et ensemble ils commencent à marcher, disparaissant bientôt par le fond de la pièce (un piano sur la gauche, avec une partition dépliée). Et une autre femme entre en scène, portant un plateau sur lequel elle pose la bouteille, les verres, le cendrier; puis elle fait demi-tour, s'en va, revient, sort sur le balcon de pierre où elle s'accoude, regardant les voitures rapides qui signalent leur passage au croisement par un appel de phares et *se regroupent bientôt sur trois files au feu rouge.*

## I. ASPECTS DE LA CRÉATION SCRIPTURALE

Imaginer et *imaginer la plume à la main* sont deux actions distinctes. Il faut souligner quelques-unes de leurs oppositions.

L'imagination quotidienne suscite des images évolutives selon un flux dont l'évolution repose sur une évanescence continue. Les thèmes volontaires ou semi-concertés, les phantasmes qui peuvent lui être offerts comme vecteurs d'organisation voient peu à peu leur vertu disparaître. Ils évoluent eux-mêmes, interfèrent, se perdent dans des dessins si complexes, si vite recouverts, que la pensée ne peut bientôt plus les suivre. La métamorphose implique ce prompt effacement. Le flux imaginaire échappe à tout contrôle prolongé. Faire jouer l'imaginaire tout en saisissant son mouvement, tel est le privilège dont l'écriture semble jouir. Le fragment écrit n'est pas fuite, mobilité, disparition; il est inscription, référence stable. Avec lui l'imagination change de statut.

Si différentes soient-elles, les images visuelle et mentale peuvent se définir comme une synthèse immédiate en laquelle chaque détail perd son autonomie. La description au contraire, est une constitution établie à l'aide d'éléments analytiques, une synthèse différée. Les détails qui se fondaient dans l'image s'y trouvent exhaussés, individualisés, éclairés. Le passage :

> Devant lui, une femme par instants s'anime, et je peux voir sa *robe rouge* derrière les rideaux, ses gestes, les mouvements de ses lèvres quand elle parle...

accuse par exemple les éléments " robe *rouge* " et " lèvres " (rouges) dans la stricte mesure où l'image se compose par étapes à partir d'eux.

Les mécanismes analogiques qui associent les images mentales diffèrent radicalement en conséquence de ceux qui président au fonctionnement de l'imagination scripturale. Les premiers jouent sur l'unité de l'image synthétique; ils provoquent des images qu s'effacent l'une l'autre. Les seconds fonctionnent à l'occasion de chacun des détails de l'image descriptive, tendant à peupler l'imaginaire d'autant de séries d'images analogiques qu'il y a de détails, et cela, autant de fois que la pensée se réfère, à son gré, au fragment de base.

Présent dans chacune des images de la série mentale qu'il a provoquée, chacun des attributs écrits (le rouge par exemple) voit donc multiplier jusqu'à l'obsession par l'exercice de l'imagination scripturale, l'importance que l'écriture lui avait déjà procurée. C'est cette multiplication intense, obsessionnelle que Sollers souligne précisément :

> Mais *s'il essayait d'écrire* [...] *Et s'il tentait de lire, bientôt les passages les plus simples se détachaient, s'ouvraient comme doués d'un pouvoir exorbitant :* " Le ciel est bleu ", *par exemple, se métamorphosait en images, en souvenirs, en voyages ou sensations de présences transversales multipliées ; l'ensemble bougeant de place, s'emboîtant, se succédant en tous sens,* lui faisant perdre pied, le submergeant, comme si la forme la plus plate, ou plane, était en même temps la plus profonde où il pouvait s'égarer, *mais aussi voir, assister à son propre fonctionnement.*

Enfin chacun des caractères obsédants, promoteurs d'images, se retrouvera écrit de nouveau (établissant une filière analogique d'images) chaque fois qu'une des images qu'il a suscitées sera la raison d'un paragraphe complémentaire. Son potentiel initial s'en trouvera donc multiplié. A défaut des développements eux-mêmes, le départ d'une de ces innombrables filières peut être schématisé :

> Ou plutôt s'ébauche, croirait-on des scènes partielles et sitôt interrompues, des lieux à peine indiqués par un *détail coloré*, *mais reliés par cette couleur même*, lieux qu'un invisible *fil réunit* (p. 134).

## II. ESQUISSE D'UNE FILIÈRE

> Prendre pour *filière* quoi ? Le grain de la toile, la disposition des lumières, l'odeur des oreillers successifs, la couleur des tapisseries (p. 67).

La couleur rouge est un fil privilégié. Elle surgit quatre fois dans les premières lignes (citées) du texte. On la retrouve page 16 :

> Seule ma chambre est éclairée par la lampe *rouge*.

mais aussi page 20 :

> La lumière *rougie* de l'abat-jour,

et page 25 :

> Les feux de Bengale *rouges*,

un peu plus loin encore :

> Le ciel *rougi* par les lumières de la ville,

et très régulièrement dans la suite du texte.

Un problème reste à résoudre, cependant. Si la désignation d'un détail écrit (le rouge, ici) déclanche immédiatement une prodigieuse série d'images dont les objets rouges sont le commun facteur, comment telle image, plutôt qu'une autre, est-elle choisie ? Pour nous en tenir aux premiers paragraphes du livre, nous ramenons à trois types ces phénomènes de sélection.

*a)* Exhaussée par la description, l'aptitude rouge joue aussitôt. L'évocation sommaire de la femme étant encore en suspens, c'est le *corps féminin* (le visage) qui pratique la sélection dans la série des possibilités du rouge. Les lèvres ainsi choisies parviennent à l'écriture dans le même mouvement évocatoire. Leur origine est si nette que la qualification rouge est supprimée qui provoquerait ici une manière de pléonasme. Le pouvoir "exorbitant" du rouge se trouve renforcé, déclenche une nouvelle fois une série plus intense, d'où sont bientôt extraits le losange et le feu rouges selon des critères plus complexes mais distincts.

*b*) L'idée que le rouge est le commun facteur des images qu'il suscite peut se concevoir ainsi : *les images se regroupent en files autour de lui*. Le feu rouge du carrefour n'est donc pas seulement choisi par la rue qu'évoque le mouvement descriptif (c'est là le phénomène précédent), mais par analogie avec le phénomène sériel lui-même. Les voitures, *comme les images*, " se regroupent bientôt sur trois *files* au feu rouge ". Parent de filière, le mot file le souligne expressément. La fiction propose ici une *allégorie* du fonctionnement qui l'établit.

*c*) En orientant le seul détail physique ici précisé, les lèvres, le rouge de la robe modèle le visage de la femme, et, en quelque manière, en devient l'*enseigne*. La femme se présente explicitement comme " la femme en rouge ". Le rapprochement spatial (la conversation) et émotif (" en souriant ") qui est accompli entre l'homme et la femme entraîne un rapprochement de leurs *enseignes*. (Il n'est donc pas indifférent que le mot soit prononcé.) C'est dans la mesure où il est emblème masculin (le tabac) que le losange est choisi dans la série des objets rouges. Cette sélection renforce, une nouvelle fois, le choix primaire ménagé par la description de la rue. La convenance de l'homme et du losange est si forte qu'elle suscite l'image suivante (l'apparition comme *magique* de la cigarette) qui la resserre et la confirme :

Il fait un geste de la main gauche refermée sur une *cigarette*.

Cette confirmation du rapprochement des enseignes, et donc des interlocuteurs, engendre un accroissement de *l'intimité*. Le sourire, simple marque de politesse, peut-être, se mue en rire inextinguible :

Et la femme se renverse en arrière, lève les bras, et, prise de fou rire, se plie soudain en avant.

### III. MÉCANISMES RÉGULATEURS GÉNÉRAUX

Le choix de la matière scripturale est donc l'effet de deux mécanismes complémentaires. Tandis que la richesse du matériau analogique ne cesse de se multiplier, des exigences locales choisissent impitoyablement les images dont la détermination analogique est la plus intense.

Reste ceci : à mesure que le texte avance, les propositions d'images et les déterminations locales s'accroissent dans de telles proportions que l'ensemble sombrerait dans le désordre s'il n'était soumis à des régulations générales établies au niveau de la somme du texte. Nous en relèverons deux :

*La peau de chagrin :* " J'ai choisi un cahier; je l'ai divisé en deux parties. " Ce procédé strictement matériel mesure l'espace physique dans lequel l'écriture se déploie, et régularise l'écriture elle-même. Chaque phrase écrite compose mot à mot son unité, règle son souffle à partir de l'intuition de sa durée à venir, s'inscrit dans une phrase en creux, subit l'exigence de son propre rythme. Cette saisie de sa durée (et comme d'elle-même avant elle-même) élimine toujours de la phrase, quelle que soit sa longueur et sa complexité, tout un jeu d'incidentes. Le choix d'un volume préalable provoque un phénomène semblable, mais à la dimension du livre. Comme chaque groupe de mots se trouve localisé par rapport à la majuscule initiale et au point terminal, chaque page, ici, et chaque paragraphe, voient leur position déterminée par référence à la première page et à la dernière, à venir, mais fixée, déjà, par l'épaisseur du cahier. Une multitude d'incidentes (tous ces chemins de traverse qui continûment prolifèrent) se trouvent en conséquence éliminées. Limitée, la surface du papier devient un espace précieux qui a son économie. Un jeu immédiat s'établit entre deux grandeurs inversement proportionnelles, la manière analogique toujours multipliée et la feuille blanche, peau de chagrin, toujours réduite. Le pouvoir sélectif sans cesse accru du papier balance la prolifération continûment augmentée de la matière analogique. Remarquons la fin de la première partie, page 82 :

La fin de la page approche, *elle doit s'achever bientôt sur une phrase courte*, évidente.

*Une nuit, une journée :* " J'ai choisi un cahier; je l'ai divisé en deux parties. " Ce partage essentiel du livre a une autre raison. Revendication de l'écriture, certes, et régulation matérielle, mais aussi régulation générale par la très stricte organisation " temporelle " qu'elle établit. La première partie correspond à la Nuit; elle commence par :

> Le ciel au-dessus des avenues luisantes est *bleu sombre*. Plus tard je sortirai, je marcherai la tête levée vers lui qui s'*obscurcira* jusqu'à disparaître,

et se termine, page 82, sur ces mots :

> Il est cinq heures du matin.

La seconde partie marque le Jour, depuis la première ligne page 83 :

> Ouverts, puis refermés, ils auraient dû voir cependant la propre blancheur du traversin dont la joue, *au réveil*, vient d'éprouver la toile.

jusqu'aux dernières, page 154 :

> Pourtant au soir de ce jour si chaud...

Il ne s'agit toutefois nullement d'offrir une succession quotidienne d'événements qui se dérouleraient pendant une journée astronomique. Une lecture plus attentive nous montre, en effet, que *cette Nuit et ce Jour ne se succèdent pas immédiatement*. La page 11 indique que cette Nuit est *automnale* :

> Mais regarder encore la rue et ses arbres *jaunis*,

et la page 84, nous assure qu'il s'agit d'un Jour *printanier*, (ou estival) :

> ... les feuillages des platanes qui composent comme une longue tonnelle *vert sombre*...

Toutes évocations sont choisies par la Nuit, dans la première partie, par le Jour dans la seconde, comme les harmoniques de chacune de leurs heures (remarquons l'heure du repas) selon de très strictes régulations :

> Ce serait quarante jours, quarante nuits (un seul jour, une seule nuit).

IV. LES PERSONNAGES PRONOMINAUX

Les lois propres à l'univers ainsi obtenu sont plus complexes. Ici, tout eſt en état de parenté continue; tout eſt pris dans une texture analogique. Dans la mesure où elle repose sur l'idée d'une autonomie essentielle, c'eſt-à-dire d'indépendance envers la continuité de la trame analogique, la notion classique de personnage n'a plus cours. Tout ce qui l'impliquerait (patronymes et prénoms : ils risqueraient alors de subir d'étranges métamorphoses) eſt absent. On lit seulement des évocations génériques (homme, femme, enfant), et des pronoms personnels (il, elle, lui).

Si l'on tient aux personnages, il faut les déclarer pronominaux. Ce déplacement n'eſt pas sans conséquence. Le terme général " femme ", par exemple, se révèle bientôt comme le commun dénominateur d'un certain nombre de femmes, si bien qu'ici et là, une sommaire description doit choisir parmi les diverses évocations féminines possibles. Le pronom *elle* accentue ce phénomène, devient, par son indétermination fréquente, un centre d'évocations multiples, un lieu d'échange qui permet de parler d'une femme à partir d'une autre, une *création grammaticale* de l'analogique continuité. Tel ce passage :

> Puisque se sont tues les sirènes (il revoit cette *femme* sur l'herbe, enveloppée d'un *édredon rouge*). Un miracle, voilà, une grande cataſtrophe confortable... Les forêts où l'on s'embarque pour d'autres planètes, les dernières espèces soigneusement choisies, les survivants où, tout naturellement il se place... poursuivant sa leĉture, tandis que l'ombre augmente peu à peu dans la pièce, et il se lève pour *allumer le lustre de cristal*.
>
> La pluie a cessé, *le soleil brille*. *Elle* met son imperméable, ses bottillons [...] je vois son profil, ses cheveux bruns dépeignés, sa *veſte rouge*... (p. 140).

La transition d'un paragraphe à l'autre eſt assurée par une analogie. Le luſtre perce les ténèbres comme le soleil les nuages. Le pronom *elle* eſt indéterminé. Aucune autre femme n'apparaissant pendant plusieurs des pages précédentes, il ne peut renvoyer grammaticalement qu'à cette viĉtime d'un bombardement, plusieurs années avant la dernière scène, plusieurs années après la scène de la leĉture. Cela eſt naturellement impossible; il s'agit donc d'une autre femme, mais qui hérite, de cette liaison grammaticale, la veste *rouge*. Les groupes *homme-il-lui*, *enfant-il-lui* sont l'objet d'associations analogues jouant, par exemple, sur les divers âges de l'enfance.

Mais le *Je* ? Pris lui-même dans la trame de l'écriture, annexé par le monde scriptural, il ne saurait renvoyer à un " antécédent " du monde quotidien et notamment à l'auteur. Face aux personnages pronominaux *objets*, il figure une sorte de personnage pronominal *sujet*. Il est la loi incarnée de l'écriture. Ainsi est-il en contact essentiel avec les autres pronoms et avec les objets. Le livre nous propose successivement plusieurs allégories de cette communication. Aux pages 54 et 55, le visage du *je* passe à celui du *elle* par la ressemblance des yeux. A la page 55 :

> Mais le spectateur inaccessible qui assistait au drame pour quelques instants pouvait, à défaut d'intervenir, *éprouver les sentiments et les impressions de la victime.*

A la page 56 ce paragraphe d'allure borgesienne :

> De même, au cinéma, je suis aussitôt parmi les images, me mêlant au paysage, aux corps qui s'agitent devant moi... J'ai été ce mur, et une fente dans ce mur. J'ai été ce sentier couvert de feuilles; ce plan d'eau stagnante près duquel passe une armée d'envahisseurs. J'ai été le peigne d'une reine; le pavillon d'un navire.

Ou encore, page 67 :

> de rester à l'écoute d'une nuit qui devenait la seule nuit, d'une chambre ouvrant sur toutes les chambres, d'un corps, le mien, devenu chaque corps. Les yeux fermés dans l'obscurité, il y a, au fond, ce corps lui-même habillé et imaginé loin d'ici, se mouvant à travers la ville, se profilant sur maint paysage revu...

## V. L'ENTRE-DEUX

Comme s'il voulait persister dans *l'entre-deux* au-delà des limites permises (p. 79).

Mais le processus scriptural par lequel un monde analogique

est engendré, ne se borne pas à s'incarner dans le pronom *je*. Il
secrète aussi *comme sa propre idéologie* qui se révèle par intuition
dès qu'une circonstance privilégiée se manifeste.

Ce monde de l'écriture échappe naturellement aux lois, un peu
brèves, du monde euclidien. Sa continuité, par exemple, assure
le déplacement instantané dans l'espace et le temps dont les catégories sont à la fois reconnues et abolies. Une chose en est toujours
en quelque manière déjà une autre, une multitude d'autres. Une
sorte d'ubiquité permanente caractérise chacun des éléments de
ce monde. L'analogie estompe les essences. Un lustre n'est nullement le soleil dans notre monde quotidien; il l'est en quelque façon
dans celui-ci.

Une multitude d'images, où s'exercent ce qu'il faudrait appeler
une ubiquité presque réussie, désignent cette équation. Tels cette
feuille regardée en transparence (le verso se *voit* du recto), le miroir,
l'œil regardé, et cet agencement idéal du lieu matériel où l'écriture
se produit :

> De ce balcon, je peux aussi, tirant vers moi les deux battants
> de la porte-fenêtre, regarder ma chambre à travers les rideaux.
> Mieux, en sortant par une autre pièce de l'appartement qui, au
> cinquième étage, s'arrondit et donne ainsi à la fois sur l'avenue
> et la petite rue sombre, je pourrais faire le tour par l'extérieur
> — et revenir à mon point de départ (p. 15).

Il est non seulement possible, et par les mouvements les plus
réduits, de contempler *l'extérieur* (l'avenue *et* la petite rue sombre)
mais aussi l'*intérieur*, la chambre. *Mieux* (ce jugement de valeur
ne doit pas passer inaperçu) il est également *presque possible*, car
c'est le sens, je crois, de ce mouvement circulaire, de se retrouver face à face, comme de chaque côté du miroir. Il faut en effet
se souvenir ici du jugement d'A. Lichnerowicz que Sollers cite
dans *l'Intermédiaire* :

> Une des questions qu'on peut se poser au sujet de l'univers,
> en termes de topologie, est justement s'il est ou non orientable.
> Pratiquement, cela signifie que, dans le cas de la réponse néga-
> tive, en faisant un voyage circulaire dans l'univers, et en fai-
> sant le tour, vous reviendriez à votre point de départ, non pas
> identique à vous-même, mais *symétrique* à ce que vous étiez
> d'abord.

66

Ces images privilégiées nous rapprochent de l'exigence centrale du livre. Elles convergent vers ce point suprême des mystiques " où les contraires cessent d'être perçus contradictoirement ", la charnière où les oppositions s'annulent :

> Face et revers, nuit et jour, ou plutôt, à la *charnière*, face et nuit, revers et jour; ni l'un ni l'autre; les deux à la fois (p. 135).

Voici donc l'ultime raison de la construction du *Parc* selon les faces du Jour et de la Nuit. A chaque fois qu'une face sera " enclose " dans l'autre, nous serons au plus près de l'essentiel. Telle la séance de cinéma — le Jour dans la Nuit — qui engendre le paragraphe mystique que nous avons cité. Telle l'ouverture du placard — la Nuit dans le Jour — qui déclenche la vertigineuse, l'inoubliable expérience :

> Je ferme les rideaux de velours vert. J'ouvre le placard; et *cela* se produit. Au fond de l'ombre et des étoffes se dévoile *enfin* une perspective cyclique. Gravitant dans le vide qui vient de s'ouvrir sur l'envers absolu : ce qui a eu lieu — masse confuse des siècles; masse murmurante... (p. 121).

Revenons donc, une dernière fois, puisque nous ne sommes pas trop loin du centre du livre, sur la déclaration : " J'ai choisi un cahier; je l'ai divisé en deux parties. " La division qu'elle souligne détermine avec exactitude le lieu idéal où s'accomplit la transmutation qui dépasse, à leur jonction, la Nuit et le Jour. C'est la page 82, fin de la première période du livre :

> (La fin de la page approche, elle doit s'achever bientôt sur une phrase courte, *évidente*) et c'est enfin l'explosion, la déchirure du côté, du bras; le souffle bloqué dans un cri inaudible (*personne ne s'en sera rendu compte ;* il reste encore deux secondes) et, voilant les yeux.

un large blanc, ici, qui de la première partie détache :

> Il est cinq heures du matin.

Ainsi est-ce donc à l'instant même où la *Nuit* et le *Jour* le plus intimement se confondent, où se conjuguent le *Monde* (l'heure *nocturne* d'automne) et l'*Écriture* (formule *matinale* de cette nuit), est-ce à ce centre idéal du livre qu'enserrent à chaque extrême, mais en se rejoignant, le *Monde* :

Le ciel, au-dessus des longues avenues luisantes, est *bleu sombre*
(première phrase)

et l'*Écriture* :

Le cahier à couverture orange patiemment rempli, surchargé
de l'écriture régulière et conduite jusqu'à cette page, cette phrase,
ce point, par le vieux stylo souvent et machinalement trempé
dans l'encre *bleu-noire* (dernière phrase.)

(le ciel empruntant à l'encre sa couleur) que se produit, entre
l'envers et l'endroit, l'entre-deux suprême autour duquel tout le
livre s'*enroule*, sans qu'il soit jamais nommé : l'instant exact de la
mort.

# PLUME ET CAMÉRA

*La peinture emploie (...) des signes différents de la poésie,*
*à savoir des formes et des couleurs étendues sur un espace,*
*tandis que celle-ci se sert de sons articulés qui se succèdent*
*dans le temps.* (LESSING.)

Certains auteurs, en nombre excessif, accueillent si facilement les métaphores superficielles et sitôt les admettent comme rapports d'identité, qu'il n'est pas inutile d'établir quelques différences. Il est vrai qu'ils distinguent, quelquefois, mais c'est pour émettre des classifications trop étranges pour qu'on se dispense d'en contester les critères.

L'on n'assimile plus guère, comme au temps de Lessing, peinture et poésie. Le problème s'est déplacé : l'on préfère aujourd'hui confondre roman et cinéma. Que plusieurs romanciers (Marguerite Duras, Alain Robbe-Grillet, Jean Cayrol) aient participé avec Alain Resnais à l'élaboration de divers films (*Hiroschima mon amour, l'Année dernière à Marienbad, Muriel*) n'est pas allé sans accroître les ambiguïtés. Le passage de Robbe-Grillet au film, par exemple n'a pas surpris : son esthétique romanesque avait été maintes fois présentée comme l'esquisse d'une cinématographie. La généralisation a culminé quand un critique littéraire, prétendit qu'un " scénario détaillé " était offert, en vérité, par mon premier roman *l'Observatoire de Cannes*.

Voici donc d'abord les plus élémentaires différences qui séparent les images descriptive et filmique.

## I. DIFFÉRENCE DES SIGNES

*A) Rareté nécessaire, rareté contingente.*

Considérons les objets fixés par la pellicule : leur nombre et leur variété ne sont visiblement soumis à nulle contrainte. Paysages ou mobiliers peuplent tout écran avec une aisance égale, et comme illimitée. Les objets obtenus par l'exercice descriptif, en revanche, au moins génériquement, sont *dénombrables* ; leur nombre confine à la rareté; leur diversité est lisiblement restreinte. La plus simple raison doit être cherchée dans l'aspect *successif* de l'agencement des signes scripturaux. La création descriptive d'un objet réclame d'autant plus de *longueur* qu'elle se veut plus précise. Une description s'étire, et s'embrouille donc, à mesure qu'augmente le nombre des objets ou, même, la complexité d'un seul.

Ce phénomène provoque deux conséquences. Par leur *essentielle* rareté les objets décrits voient, dans la fiction, leur importance accrue. En second lieu, cette rareté les rapproche, augmente l'intensité de leurs rapports, les dispose à *rimer*.

Sans doute le metteur en scène jouit-il théoriquement de toute latitude pour réduire à un petit nombre les objets filmés. C'est justement en cette liberté que réside la différence. Si la rareté (ou, du moins, la limitation) des objets décrits est *nécessaire*, celle des objets filmés est *contingente*. D'emblée, donc, leurs fonctions créatrices se distinguent.

### B) *Synthèse différée, synthèse immédiate.*

Soit la perception d'un objet filmé; nous la constatons globale. Les différents aspects de l'objet (forme, couleur, taille, matière, situation...) ne sont nullement fragmentés. Ils se dissolvent dans l'unité de la *synthèse immédiate* qu'ils constituent. La description, au contraire, n'obtient pas cette immédiate perception de l'ensemble. Nous avons vu qu'elle construit l'objet par l'épellation de ses différents aspects. Assemblant des qualités analytiques bien délimitées, elle propose une *synthèse différée*. Chacune des composantes reste donc, pour une large part, individualisée, soulignée, indépendante, au cours du mouvement même de l'élaboration de l'objet.

Dans la mesure où ses qualités sont transcendées, immédiatement assimilées par l'ensemble, l'objet filmé jouit d'une *intense autonomie*. Il est entièrement lui-même, et se trouve donc, par sa particularité même, et à la mesure de cette singularité, isolé des

autres objets. L'objet décrit, lui, est affecté d'une *autonomie relative*. Chacune de ses composantes, dont l'indépendance relative
est un produit de la description elle-même, tend à se conjuguer
avec les qualités correspondantes de toute une série d'objets.
L'objet décrit demeure donc lui-même, certes, mais il appelle
toujours la constellation d'objets qui ont, avec lui, une ou plusieurs
qualités en commun.

Les correspondances qui peuvent s'établir entre les objets clos
du cinéma diffèrent radicalement de celles qui se nouent entre
les objets largement ouverts de la description. Celles-ci s'imposent
continuellement sous la plume de l'écrivain; celles-là doivent,
une nouvelle fois, être recherchées par la caméra du cinéaste.

Il serait en outre illusoire de vouloir composer une image, une
suite d'images filmiques en fonction des seules qualités analytiques de l'objet, déterminées par une manière de description préalable. Les correspondances n'existeraient que *sur le seul papier*. Elles
passeraient en majeure partie inaperçues au niveau de l'image
mouvante, rapide, évolutive du film. La description ne constitue
pas un film décrit (un film au rabais); le film ne peut représenter
une description filmée.

Un ouvrage curieux, *l'Année dernière à Marienbad*, me semble
souligner les différences fondamentales qui séparent les relations
entre les objets filmés des correspondances entre les objets décrits.
Le découpage du film indique par exemple à la page 117 :

> X : *Votre bouche s'entrouvre un peu plus, vos yeux s'agrandissent
> encore, votre main se tend en avant dans un geste inachevé* [...] La caméra
> [...] exécute une sorte de mouvement tournant autour de A,
> pour la montrer en détail.

Les sens de cette phrase, qui varient avec chacune des intrigues
hypothétiques du film, n'importent pas ici. Constatons la présence
simultanée de l'image filmique et d'une description. La vision du
film confirme que ce plan n'est aucunement pléonasmique. En voici
la raison, indépendante de toute donnée anecdotique. Écrivain
de la description, Robbe-Grillet a pris soin de composer son film
non pas avec des descriptions, mais avec des images filmiques,
avec des perceptions globales. Ce faisant, il a constaté qu'il était
privé de la plupart des correspondances issues de qualités analy-

tiques de l'objet décrit. Il a tenté de les réintroduire par la parole, *de transformer la perception du spectateur.* Jouxtant l'image filmique d'une description parcellaire, Robbe-Grillet exige de la perception du spectateur qu'elle joue *sur les deux niveaux simultanément.* La perception globale se double d'une perception du détail descriptif. Comme tout roman comporte la pédagogie de la lecture qu'il exige, en façonnant la lecture de son lecteur, *l'Année dernière à Marienbad* monte une manière de réflexe conditionné. Même là où la description est absente, la double perception (aidée par l'immobilité des personnages) continue à se produire. Peuvent alors s'épanouir les correspondances filmiques globales, et les correspondances descriptives détaillées. S'efforçant d'obtenir la synthèse de ces deux spécificités, *l'Année dernière à Marienbad* confirme leur existence.

Cette synthèse, par les vertus qu'elle reçoit du nouveau jeu des interférences qui la constituent, implique une réciproque limitation des deux lectures. Prenant un appui conjoint sur l'une et l'autre, la création n'a nul besoin de pousser à fond les aptitudes de l'une ou de l'autre. En le faisant elle romprait l'équilibre qu les unit, et se priverait de son propre principe. La complète libération des spécifiques pouvoirs de l'image filmique et de l'image descriptive exige en revanche la rupture de ce lien. Sa limite définit d'une part un film qui reposerait uniquement sur les qualités particulières de l'image, et d'autre part un roman qui se formerait exclusivement par le jeu créateur de la description. De tels romans existent. Il n'est pas inutile d'esquisser leur fonctionnement.

### C) *Esquisse d'un imaginaire scriptural.*

Lorsque, par l'exercice d'une précise description, le romancier met en place (et, nous l'avons vu, isole) l'une des qualités d'un objet (un triangle par exemple) cette forme *libre* suscite latéralement toute une série d'objets aptes à l'incarner (triangulaires). Le même phénomène se produit avec chacune des qualités de l'objet de base et entraîne autant de séries correspondantes. Naturellement, çà et là, les mêmes objets marginaux peuvent se retrouver, par leurs diverses qualités, appelés dans des séries différentes. Plusieurs fois offerts à l'écrivain, ces objets finissent par s'imposer.

Choisis, décrits à leur tour, ils disposent dans le livre les séries marginales et multiplient de la sorte le phénomène initial. Ces mécanismes, on le conçoit, deviennent rapidement très complexes. Par des relais et chaînes contrôlés, dans le détail desquels on ne peut certes entrer ici, mais qui s'accomplissent à chaque instant et à tous les niveaux, la matière romanesque se trouve entièrement *inventée* par l'exercice de la description.

Ce processus de création d'un monde par l'écriture se distingue notamment avec variantes et repentirs, chez les actuels descripteurs : Robbe-Grillet et Claude Ollier. Il importe d'en produire des exemples. Pour n'être pas taxé d'abusive interprétation, je les choisirai dans mon premier roman *l'Observatoire de Cannes*. Fragmentaires et simplifiés, ces exemples ne présentent naturellement que des simulacres du jeu véritable.

*Le triangle et le V.* L'ouverture *triangulaire* du corsage, précisée à la seconde page, engendre les pièces de linge sur les fils, les voiles des bateaux, les trois bouées qui dessinent le parcours de la régate, l'échancrure des feuillages, la chaîne dentelée de l'Estérel, le rempart de sable élevé contre les vagues, etc. La jeune baigneuse se trouve à l'apogée de cette obsession triangulaire : triangles du soutien-gorge et du slip de bain, cils blonds coagulés en une frise de triangles, mèche angulaire sur la joue, angle des jambes disjointes etc. Le triangle se trouve ainsi crédité d'une valeur érotique. Il devient *signe appris*. Évoquer dès lors bateaux et bouées, Estérel ou échancrure des mimosas, bref tout objet à composantes triangulaires, c'est, en chaque circonstance, faire allusion à la jeune fille. Inversement celle-ci (par l'effet certes de toutes les autres chaînes) tend à contenir, résume tous les aspects du monde tels que l'exercice de l'écriture les a obtenus. (Qu'une parenthèse nous soit permise : lorsque ces récits sont déclarés glacés, exempts de toute émotivité, c'est qu'ils ne sont pas lus, c'est que ne sont pas perçus les réseaux harmoniques produits par les développements formels de la description, c'est qu'on ne voit pas combien chaque spectacle du monde désigne ici l'être désiré.)

De semblables séries pourraient être relevées dans d'autres domaines. Les *couleurs* (l'étroit pantalon aux rayures vertes et blanches alternées entraîne, par exemple — outre les maisons blanches dans la verdure, qui servent de relais — les carreaux verts et blancs du slip triangulaire, qui, se conjuguant avec les rayures de l'écume sur les vagues, établissent une étroite correspondance entre la jeune fille et la mer, et suscite les scènes sous-marines...). *Les dispositions* (la seconde île plus petite correspondant à la seconde plate-forme plus petite, entraîne la fillette blonde, jeune fille plus petite...) Les *mouvements* (le lent dévoilement du paysage lors de la montée du funiculaire provoque toute une série de dévoilements dont le strip-tease...); elles organisent, inventent la matière romanesque selon une cohérence croissante. Ainsi, tout est fabriqué ou, si l'on accepte d'être moins péjoratif : tout est écrit.

### D) *Microcosme scriptural.*

Le fait qu'un cinéaste travaille sur des images directes et un romancier avec des mots, provoque bien d'autres divergences entre les mécanismes créateurs du cinéma et ceux du roman. Francis Ponge a justement remarqué, dans *la Pratique de la Littérature* :

> Les mots, c'est bizarrement concret... ils ont, mettons, deux dimensions, pour l'œil et pour l'oreille, et peut-être la troisième, c'est quelque chose comme leur signification.

La description créatrice n'est aucunement astreinte à négliger ce caractère du langage. Il est au contraire probable que, dans son exécution la plus consciente, le jeu des correspondances qu'elle établit entre les objets *représente* celui qui tend à s'accomplir entre les mots. En voici un exemple. Je choisis le mot *volve*, à dessein : il semble avoir dépassé certains entendements. Ce mot définit la corolle de la robe quand la jeune fille vient d'atteindre le haut de l'escalier. Il s'agit de la description d'une *forme* (la *volve* est cette membrane qui entoure le champignon, et *se retourne en corolle sur le pied* après l'expulsion des spores germinatifs) et d'un *mouvement* (la correspondance paronymique entre *volve* et *volte* — latin : volvere — est évidente; ainsi se trouve également décrit, d'une certaine manière, le léger tournoiement de la robe sur les jambes). En outre, comme chaque détail de l'objet appelle les autres objets qui disposent de ce détail, les syllabes — et surtout lorsqu'elles bénéficient de quelque particularité — de certains mots tendent à susciter les mots qui comportent les mêmes syllabes. Le mot *ulve* (LVE) utilisé un peu plus haut (c'est, on ne l'ignore pas, le nom d'une famille d'algues) entraîne *volve*. De plus, la conjonction de ces deux mots en évoque un troisième : *vulve*, leur commun paronyme. Par son caractère érotique (qu'il doit à son association) le mot *volve* joue donc avec l'érotisme qui caractérise les descriptions de la jeune fille. Et il l'accentue. Enfin, une autre de ses particularités le rend à mon avis éminemment convenable. Par son rapport avec l'idée de champignon, il est lié à cette variété particulière de cryptogames nommée *phallus*. Ce pôle masculin ne va pas, me semble-t-il, sans rapport avec le désir du narrateur. Le terme *volve* compose donc ici, comme bien d'autres mots de ce livre, une sorte de microcosme scripturalement obtenu, lieu d'un intense jeu de correspondances spécifiques.

## II. DISTINCTIONS FRELATÉES

*A*) *Le critère du contenu préalable.*

Des auteurs très divers, et dont par quelque aspect l'œuvre mérite sympathie, se sont parfois abandonnés à une curieuse classification des arts. Dans *Notre Destin et les Lettres*, Valéry osait cette boutade :

> Toute la partie descriptive des œuvres pourra être remplacée par une *représentation* visuelle : paysages, portraits ne seraient plus du ressort des lettres, ils échapperaient au moyen du langage.

Et André Breton multiplia les photographies dans *Nadja* avec l'explication suivante :

> ... l'abondante illustration photographique a pour objet d'éliminer toute description — celle-ci frappée d'inanité dans le *Manifeste du Surréalisme*.

En un mot, pour ces auteurs, la description n'est qu'un *substitut* de l'image pelliculaire : photographie, ou, mieux, cinéma. La raison est claire. L'on assigne ici aux deux sortes de signes un commun rôle : représenter *les choses mêmes*. Des deux systèmes de signes, c'est celui qui est censé se rapprocher le plus, en sa représentation, du contenu *préalable*, qui est de préférence choisi. Nous reviendrons sur cette vieille erreur.

Mais cette illusion connaît une variante " optimiste ". Tandis que pour Valéry la représentation visuelle repousse le langage des domaines qu'il occupait, pour d'autres auteurs, ce même recul permet au langage romanesque de découvrir ses sujets spécifiques. L'un deux, affirmant " que la photographie a pour une part éliminé de la peinture le souci de la ressemblance anecdotique ", a prétendu que le cinéma élimine toutes tentatives du roman de la description. Certes la peinture (et la photographie n'y est probablement pour rien) est devenue moderne quand elle s'est libérée de cet *alibi* : l'anecdote. Mais l'anecdote, pour elle, c'est le modèle (visages, objets, paysages), ce spectacle antérieur à son exercice. Pour le roman, en revanche, l'anecdote, c'est l'intrigue préalable, ce développement imaginé avant l'acte d'écrire, cette pseudo-création précédant la création. Accomplissant à son tour sa révolution, c'est l'intrigue antécédente que le roman moderne, pour donner pleins pouvoirs créateurs à l'écriture, tend à expulser. De même qu'en la peinture moderne, l'intérêt porté aux aventures de la création picturale n'est plus détourné par l'histoire, le caractère, les passions marquées sur un visage, de même, dans les romans modernes, les processus d'une création scripturale ne sont plus masqués par une quelconque balzacienne anecdote.

Certes, on l'a remarqué, une intrigue subsiste. Mais elle est fort singulière; elle est, dans le meilleur des cas, le produit intégral des développements d'une écriture; moins que toute autre, elle ne se laisse épuiser par nulle de ces techniques (psychologies, philosophies, politiques) dont le champ d'action est le monde quotidien. Seule la peut comprendre une intégrale lecture littéraire qui épouse à chaque instant les mouvements de la création.

B) *Une fausse fatalité du cinéma.*

Qu'il compose son découpage à partir d'un scénario ou d'un roman, le metteur en scène a le plus souvent pour rôle d'illustrer ce développement antérieur à toute image pelliculaire. Si les images obtiennent une certaine cohérence esthétique, c'est en acceptant pour une large part, en dépit de mineures contestations qui suscitent quelques retouches, d'illustrer cette histoire. Souvent le metteur en scène y voit un alibi servant à faire passer ses véritables recherches :

il méprise son scénario. Nombre de critiques, parallèlement, introduisent ce principe dans leurs commentaires : leur intérêt pour le scénario est en raison inverse de celui qu'ils portent à la mise en scène. Cela, c'est admettre l'œuvre comme un *exercice de style* avec ses morceaux de bravoure sur un quelconque prétexte, le contraire d'une création entière où la forme, en son accomplissement, suscite sa propre matière, son propre sujet, son propre fond.

D'autres auteurs et critiques, s'ils ne partagent guère cette idéologie, l'acceptent comme une fatalité. C'est l'organisation économique du cinéma qui contraint le metteur en scène à illustrer un préalable scénario, exige une division du travail telle qu'il est impossible au réalisateur de devenir un auteur " impérial ". *L'Année dernière à Marienbad* (et notamment depuis, à leur manière, les films de Godard) apportent d'autres perspectives. Le découpage proposé par Robbe-Grillet à Resnais :

> Je me suis mis donc à écrire, seul, non pas une " histoire " mais directement ce que l'on appelle un DÉCOUPAGE

contient déjà une prospection technique du film. En refusant aux images les indices par lesquels seraient indiqués une scène présente, une hallucination, un souvenir, c'est la démarcation des événements et des fabulations qui se trouve abolie. Enfin libérées de toute fonction illustrative d'une intrigue donnée, les images s'organisent selon leurs spécifiques capacités (compte tenu de leur jeu avec les descriptions parlées) en une cohérence créatrice qui suscite non pas une seule intrigue, mais, on l'a noté, tout un faisceau d'hypothèses.

### III. LES SÉQUELLES DU RÉALISME

#### A) " *La fiction, c'est la vie même.* "

L'idéologie réaliste se décompose en deux familles selon l'absence ou la présence de l'auteur dans le schéma de base. Si l'auteur n'est pas convoqué, il s'agit d'une doctrine directe de la *représentation du monde* ; s'il intervient, nous obtenons le dogme indirect de l'*expression d'une vision du monde*. En ce dernier cas une nouvelle division se produit : ou bien la vision du monde se rapproche, par intuition profonde du " monde objectif "; ou bien elle manifeste les subjectifs abysses de l'auteur. C'est la première famille que nous nous bornerons à commenter ici.

Elle connaît également deux classes. La première est naïve. Elle prétend que la fiction c'est la vie même. A vrai dire cette opinion n'est guère proclamée; elle est impliquée, plutôt, dans ces innombrables jugements où l'on parle des personnages, par exemple comme s'ils étaient composés de chair et de sang, comme si nous les pouvions croiser dans la rue. " A sa place, dit-on, j'aurais agi de même. " C'est sur tel réalisme naïf que s'appuie, me semble-t-il, toute assimilation du roman et du cinéma.

En effet, si les fictions sont implicitement considérées comme la vie même, il faut que toutes fictions, romanesques ou filmiques, jouissent d'un commun statut. Insister sur les caractères respectivement spécifiques des signes mis en œuvre par le roman et le cinéma, en déduire que les fictions correspondantes diffèrent radicalement, c'est réfuter ce réalisme de la *représentation exacte*. Mais il en est un autre.

B) *La représentation approchée.*

C'est le réalisme *retors* sur lequel se reposent nos précédents exemples, Valéry et Breton. Si le réalisme naïf ignore la notion de signe, celui-ci, en revanche, la reconnaît. Il accepte bien le signe comme ce par quoi se trouvent désignés, non pas *les choses mêmes*, mais des *êtres fictifs*. Il admet donc que les propriétés de ces êtres de fiction dépendent de la nature des signes qui les établissent. Il en tire cependant une fâcheuse conséquence.

Il classe les êtres fictifs selon la distance qui les sépare des choses mêmes, et dose leur valeur selon l'amenuisement de cet espace. Telle hiérarchie des signes établie sur le principe d'une représentation approchée a été ouvertement contestée. Répondant à une enquête, Mallarmé affirmait :

> *Je suis pour — aucune illustration, tout ce qu'évoque un livre devant se passer dans l'esprit du lecteur :* mais si vous remplacez la photographie, que n'allez-vous droit au cinématographe, dont le déroulement remplacera, image et texte, maint volume, avantageusement.

Et Flaubert écrivait à Ernest Duplan :

> Jamais, moi vivant, on ne m'illustrera, parce que : la plus belle description est dévorée par le plus piètre dessin. Du moment qu'un type est fixé par le crayon, il perd ce caractère de généralité, cette concordance avec mille objets connus qui font dire au lecteur : " J'ai vu cela " ou " cela doit être ". *Une femme dessinée ressemble à une femme, voilà tout. L'idée est dès lors fermée, complète, et toutes les phrases sont inutiles, tandis qu'une femme écrite fait rêver à mille femmes. Donc, ceci étant une question d'esthétique, je refuse formellement toute espèce d'illustration.*

Si souvent opposés, Mallarmé et Flaubert s'accordent ici sur l'essentiel : le refus d'accorder un quelconque privilège à la *vision* dans son opposition à la *lecture*. (Les volumes que le cinéma pourrait remplacer avantageusement sont, pour Mallarmé, ceux qui ne sont pas *écrits*.) Pour eux, donc, la valeur d'un ouvrage se mesure non point à la ressemblance des êtres fictifs avec les choses mêmes, mais à la spécifique cohérence des signes qu'elle assemble.

S'astreindre à ne privilégier le roman ni le cinéma, c'est les purger de toute fonction représentative, c'est les reconnaître également comme écritures créatrices, leur accorder à l'un et à l'autre la dignité d'un art.

# PAGE, FILM, RÉCIT

*Quelques-uns voulaient que le roman fût une sorte de défilé cinématographique des choses. Cette conception était absurde.* (MARCEL PROUST.)

## I. LA NARRATION GOUVERNE LA FICTION

Dans un article remarquable de *Communication IV, le Message narratif,* Claude Brémond assure, à propos du récit :

> Il faut et il suffit qu'il raconte une histoire. La structure de celle-ci est indépendante des techniques qui la prennent en charge. Elle se laisse transposer de l'une à l'autre sans perdre de ses propriétés essentielles : le sujet d'un conte peut servir d'argument pour un ballet, celui d'un roman peut être porté à la scène ou à l'écran, on peut raconter un film à ceux qui ne l'ont pas vu. Ce sont des mots qu'on lit, ce sont des images qu'on voit, ce sont des gestes qu'on déchiffre, mais à travers eux, c'est une histoire qu'on suit; et ce peut être la même histoire. Le RACONTÉ a ses signifiants propres, ses RACONTANTS : ceux-ci ne sont pas des mots, des images ou des gestes, mais les événements, les situations, et les conduites signifiées pour ces mots, ces images, ces gestes.

Cette hypothèse le conduit, on l'imagine, à l'extrême d'une position fréquente :

> Si le récit se visualise en devenant film, s'il se gestualise en devenant mime etc. ces transpositions n'affectent pas la structure du récit, dont les signifiants demeurent identiques dans chaque cas (des situations, des comportements etc.). En revanche, si

le langage verbal, l'image mobile ou immobile, le geste se " nar-
rativisent ", s'ils servent à raconter une histoire, ils doivent
plier leur système d'expression à une structure temporelle, se
donner un jeu d'articulation qui reproduise, phrase après phrase,
une CHRONOLOGIE.

Les conséquences de cette opinion sont claires : si l'essentiel du
récit échappe à la narration, il va de soi, en matière de récit, que
toutes techniques narratives, roman par exemple, ou cinéma, sont
incapables d'innover.

Or, la thèse de Claude Brémond n'est peut-être pas indiscutable,
qui s'oppose, semble-t-il, à certaines contemporaines recherches
romanesques. A celles que présente, en particulier, *la Jalousie*
de Robbe-Grillet. L'on sait que la valeur exemplaire de ce livre
réside notamment dans la manière suivant laquelle s'assemble en
sa totalité, dès les premières pages, le matériau des événements.
Une combinatoire s'opère ensuite qui détruit toute chronologie
de la fiction. Le critique Bruce Morrissette a cependant montré
qu'il y a dans ce livre mobilité de la jalousie : crescendo, culmination morbide, apaisement. Puisque la cause de cette évolution
ne peut être cherchée dans les événements dont la somme est
offerte auparavant, il est net qu'elle se trouve dans la *narration*
même qui obéit, elle, à la rigoureuse succession des paragraphes
et des pages. Cela mérite peut-être démonstration. Si on les considère dans leur rapport avec la narration, les personnages se disposent
de la façon suivante :

| ABSENTS | conversations | Christiane *malade* | (ailleurs) |
|---|---|---|---|
| Évocation allusive | description d'indices | " Mari " *invisible* | (ici) |
| PRÉSENTS Évocation directe | description franche | A... | Franck / Domestiques noirs |

6

Comme la narration s'accomplit surtout par l'agencement de cellules éminemment descriptives, le narrateur (le " mari ") et Christiane (la femme de Franck) ne jouissent pas du même niveau d'existence que les autres : d'une certaine manière, ils sont *infirmes*. C'est de cette diminution fondamentale que la fiction rend compte en faisant de Christiane une malade et du narrateur un morbide jaloux. Retournons donc nos routines : ce n'est point parce qu'elle est malade que Christiane n'apparaît pas, c'est parce qu'elle est absente de la description qu'elle est malade.

Les autres personnages, A..., Franck, les domestiques noirs bénéficient en revanche d'une présence descriptive qui les situe dans les diverses cellules agencées. La combinaison des cellules les mettra donc nécessairement en rapport. C'est cette relation structurelle que le narrateur interprète à hauteur de fiction comme un amoureux rapprochement d'A... avec Franck, puis d'A... avec les Noirs. L'on comprend en effet que la distribution des personnages vis-à-vis du principe narratif exclue ici le racisme : l'héroïne, Franck et les Noirs sont de *même race descriptive*. Ce qu'admet fort bien la jeune femme :

> Franck paraît même sur le point de lui en faire grief :
> — Quand même, dit-il, coucher avec des nègres...
> A... se tourne vers lui, lève le menton, demande avec un sourire :
> — Eh bien, pourquoi pas ?

Le crescendo de la jalousie, qui ne répond à aucune succession chronologique d'événements rend donc plutôt compte des rapprochements inexorables qui rejoignent *de page en page* par l'accomplissement des combinaisons, les personnages décrits. *La Jalousie* c'est, en quelque sorte, le pur *roman de la pagination*.

Sans doute serait-il rassurant, pour en réduire la portée, de faire de ce livre le résultat d'une rarissime maladie du récit : une aberration insignifiante. C'est ainsi que s'efforcent de survivre les succombantes doctrines. Il nous semble plutôt que, en disloquant le principe traditionnel (" Le vol ne peut avoir lieu avant qu'on ait brisé la serrure "), *la Jalousie* permet d'élargir la définition du récit. Le récit est une *mise en place* d'événements qui, dans le cas du récit habituel peut reposer sur une *chronologie*. Ainsi le domaine de l'ancien récit se trouve enfin *inclus* dans le plus vaste champ que définit le récit moderne. Une plus ample *logique* a débordé la *chrono-logique* périmée.

En cette perspective, il est permis d'imaginer une extrapolation : on peut envisager un livre qui permettrait de définir le roman comme une *mise en page* qui, dans certains cas, peut reposer sur une *pagination*. C'est tel problème que je me suis notamment efforcé de poser avec *la Prise de Constantinople*.

Si la narration gouverne ainsi foncièrement la fiction, c'est au niveau de l'agencement des signes narratifs, et non à celui des événements, que toute nouveauté peut s'accomplir.

## II. L'AGENCEMENT DÉPEND DES SIGNES

Tel déplacement me semble délimiter la permanente querelle, avec ses accalmies et ses éruptions, qui sépare les extrémistes du roman et les sectaires du cinéma. Si l'espace de l'invention est bien celui des techniques narratives, le cinéma, de récente venue, innove-t-il par rapport au roman ? Cette polémique, qui repose sur une ambiguïté insidieusement maintenue, risque d'être éclaircie par l'examen de la nature des signes qu'assemblent les deux arts.

Nul besoin d'un inventaire exhaustif pour admettre leur fondamentale différence. Des signes convoqués par le roman (la langue) et par le cinéma (les images filmiques) les linguistes diraient des premiers qu'ils sont immotivés, et des autres qu'ils sont analogiques, la consommation des derniers s'accompagnant en outre d'une *illusion de réalité*. A la limite, la distinction détache la tendance vers un pur déchiffrement de la tentation d'une vision pure. Notons aussi que le roman travaille une ligne, celle de l'écriture, par laquelle, au départ, seule est permise une présentation énumérative, tandis que le cinéma travaille une bande (et mieux plusieurs bandes superposables : image, dialogue, musique, bruitage...), celle au moins de la pellicule, qui autorise d'emblée de globales mises en place. L'on ne sera donc point trop surpris que les respectifs agencements de signes aussi distincts ne présentent guère la même allure.

Il suffit par exemple d'ouvrir un quelconque roman traditionnel pour observer qu'il comporte d'innombrables retours en arrière dont nul *flash-back* cinématographique ne saurait être l'équivalent. C'est que le classique déroulement chronologique s'y accompagne en vérité d'une étrange cohue d'événements annexes, évoqués en désordre à chaque fois qu'un renseignement paraît nécessaire à la progression de l'histoire. Ainsi peut-on lire à la page 18 du roman de Françoise Sagan, *Bonjour tristesse :*

> — Je lui avais dit de venir si elle était trop fatiguée par ses collections et elle... elle arrive.
> Je n'y aurais jamais pensé. Anne Larsen était une ancienne amie de ma pauvre mère et n'avait que très peu de rapports avec mon père. Néanmoins à ma sortie de pension, *deux ans plus tôt,* mon père très embarrassé de moi, m'avait envoyée à elle. En une semaine, elle m'avait habillée avec goût et appris à vivre. J'en avais conçu pour elle une admiration passionnée qu'elle avait habilement détournée sur un jeune homme de son entourage : je lui devais donc mes premières élégances et mes premières amours et lui en avais beaucoup de reconnaissance. A quarante-deux ans, c'était une femme...

L'on imagine combien de brefs flash-backs correspondant à tels traditionnels retours informatifs donneraient au film un air " d'avant-garde ".

La même opposition distingue les mouvements de la caméra de ceux de la description. L'un des mérites de *Description panoramique d'un Quartier moderne,* texte bref d'Ollier, est d'en apporter une excellente preuve. Alors que le panoramique de la caméra ne dépend aucunement de ce qui se trouve enregistré, le panoramique de la description, pour se réaliser sur la ligne d'écriture, tend à restreindre le nombre des objets décrits : la nudité du mur de la chambre est le *résultat* du mouvement descriptif. Imagine-t-on, en guise de correspondance, une caméra balayant panoramiquement une cloison nue, que nous commettons, sous l'apparence, un profond contre-sens. Le rapport de la description panoramique avec la rareté des objets décrits est *nécessaire ; contingent* serait celui de la pénurie des objets filmés avec le mouvement de la caméra.

Faudrait-il un ultime exemple que je m'arrêterais aux immobilisations des personnages, quelquefois, dans *l'Année dernière à*

*Marienbad.* Celles-ci ont peu surpris : on les a assimilées aux scènes figées des romans de Robbe-Grillet. Or leur valeur est probablement différente. Quand la description, en son principe, s'astreint à de précises minuties, elle *souhaite* que ce qu'elle décrit s'immobilise. Étant linéaire, elle ne peut en effet obtenir, malgré des artifices comme " tandis que ", une simultanéité des actions. Si la scène évolue, la description ne pourra plus accorder le détail présenté au nouvel état de l'ensemble. Telle est la raison du goût des descripteurs pour les scènes figées : tableaux, photographies, *Instantanés.* Avec les immobilisations que proposent les romans de Robbe-Grillet, nous voyons une fois de plus la fiction s'alimenter au fonctionnement narratif qui l'institue.

Dans *l'Année dernière à Marienbad,* l'immobilisation des personnages répond à d'autres motifs. L'on sait que le début et la fin d'un récit sont en état de symétrie (ils sont les extrémités) inverse (il y a d'une part ouverture, de l'autre fermeture). *Marienbad* restitue, au niveau de la fiction, cette qualité de la narration. Si la fin du film offre un jardin qui se pétrifie :

> Le parc de cet hôtel était une sorte de jardin à la française, *sans arbre, sans fleur, sans végétation aucune... Le gravier, la pierre, le marbre, la ligne droite y marquaient des espaces rigides,* des surfaces sans mystère. Il semblait, au premier abord, impossible de s'y perdre... au premier abord... le long des allées rectilignes, *entre les statues aux gestes figés et les dalles de granit* où vous étiez maintenant déjà en train de vous perdre, pour toujours, dans la nuit tranquille, seule avec moi.

le début présente, inversement, une pierre qui se fait végétale. Tout y bourgeonne d'une baroque ornementale complication : les encadrements du générique " se transforment, s'épaississent, s'ornent de fioritures diverses "; il y a aussi " cette frise compliquée qui court sous le plafond, avec ses rameaux et ses guirlandes, comme des feuillages anciens "; et encore " cette main de stuc qui tient une grappe... L'index tendu semble retenir un raisin prêt à se détacher ".

C'est à ce double mouvement d'animation de la pierre et de pétrification de la vie qu'appartiennent sans doute les immobilisations des personnages. Il faut en trouver l'origine et le résultat.

Le résultat en est logiquement un *fantastique*. Si, d'une part, le couple de pierre est animé, non seulement par une interprétation des attitudes qui injecte les deux personnages dans la mobilité d'un récit :

> L'homme et la femme ont quitté leur pays, avançant depuis des jours, droit devant eux. Ils viennent d'arriver en haut d'une falaise abrupte. Il retient sa compagne pour qu'elle ne s'approche pas du bord, tandis qu'elle lui montre la mer, à leurs pieds, jusqu'à l'horizon,

mais aussi par la caméra qui donne, en montant, l'illusion qu'ils avancent vers l'eau; si, d'autre part, X et A tendent à maintes reprises vers une rigide mise en pierre, nous assistons à une convergence qui invite à l'identification. L'interprétation verrait alors en ce film un, proche de Cocteau, *Comment vivent les statues*. Ainsi est-ce la plus profonde intuition qu'il faudrait lire sous les mondains propos de X :

> Rappelez-vous : il y avait, tout près de nous, un groupe de pierre, sur un socle assez haut, un homme et une femme vêtus à l'antique dont les gestes inachevés semblaient représenter quelque scène précise. Vous m'avez demandé qui étaient ces personnages, j'ai répondu que je ne savais pas. Vous avez fait plusieurs suppositions, et *j'ai dit que c'était vous et moi*, aussi bien.

L'on noterait alors que l'initiale animation de la pierre correspond à l'éveil de la statue et que X, dans les couloirs, prolonge une promenade *qui a commencé dans le jardin* :

> avec ses rameaux, ses guirlandes, comme des feuillages anciens *comme si le sol était encore de sable ou de graviers.*

L'on remarquerait enfin que l'ultime pétrification de la vie, en les derniers mouvements du film, tend à recomposer avec A et X qui retournent dans le jardin, " entre les statues aux gestes figés ", le groupe de pierre sur son piédestal.

*L'origine* du double mouvement d'animation de l'immobile et d'immobilisation du vif (dont tel fantastique n'est que la *conséquence*, et comme l'interprétation par la fiction) se trouve dans les spécifiques aptitudes narratives de la caméra. Les innombrables combinaisons des déplacements de ce qui est filmé et des mouvements de la caméra connaissent deux cas limites : le plan fixe (comme ceux, admirables, de Feuillade) qui saisit une scène très vive; la caméra mobile (d'un documentaire sur une sculpture, par exemple) qui tourne autour d'un objet fixe. C'est à cette animation relativement immobilisée (encadrée) et à cette immobilité en quelque manière vivifiée que s'alimente, au moins intuitivement, l'*Année dernière à Marienbad*.

### III. ILLUSOIRES INFLUENCES

Il n'y a donc guère lieu de se demander si, en matière de récit, le cinéma innove par rapport au roman. Ou bien, selon la thèse de Claude Brémond, la fiction est indépendante de la narration, et aucune nouveauté ne saurait venir d'une quelconque technique narrative, ou bien, comme nous espérons l'avoir montré, la fiction est gouvernée par la nature des signes narratifs et entre les divers types de récits (roman, film, bande dessinée, mime, ballet...), qui composent des ensembles respectivement autonomes, il y a *différences* et non innovations. Un roman peut être nouveau par rapport à d'autres romans et non par rapport à des films; un film ne peut innover que dans le seul domaine du cinéma.

Le problème offrait toutefois une apparente consistance. Il n'est pas indifférent, peut-être, d'en découvrir les raisons. Si elle s'applique à comparer deux arts, la recherche doit aussitôt craindre deux pièges : l'*illusion métaphorique* et l'*illusion réaliste*. Que la métaphore soit une caractéristique cardinale de la langue n'autorise certes point qu'on en fasse un illicite usage. Or la tentation est constante de faire chatoyer la métaphore entre la simple ressemblance et la pure identité. C'est par métaphore qu'on dira de telle ascendante description du gâteau de noce dans *Madame Bovary* qu'elle est un panoramique vertical; mais on déterminera par ce biais un espace ambigu où roman et cinéma sont d'assez proche nature (on y pratique des panoramiques) pour être confondus et présentent assez de différences (le panoramique du cinéma est plus libre et complet) pour qu'on puisse marquer des supériorités.

La seconde tentation respecte la spécificité des arts. C'est sur elle qu'elle se fonde pour établir des hiérarchies. Pour cette *illusion réaliste*, la valeur d'une œuvre provient non de la cohérence des signes qu'elle met en jeu, mais de la distance qui sépare la fiction ainsi obtenue des *choses mêmes*.

Dans ces conditions l'influence d'un art sur un autre apparaît au domaine de l'illusoire. Il est certes possible qu'un écrivain (Claude Ollier peut-être en commençant *Description panoramique d'un Quartier moderne*), trompé par le mirage métaphorique, essaie d'utiliser une technique cinématographique, mais son œuvre ne sera réussie que dans la mesure où elle accédera à un tout autre résultat. C'est pourquoi d'hybrides concepts comme " films-romans " utilisés souvent par la critique, me paraissent entretenir une dangereuse équivoque.

Le succès du cinématographe incite certains à s'interroger avec inquiétude sur l'avenir du roman. Or, la réussite du film n'est peut-être pas exempte de fragilités. Il est permis de *voir* un film; nous sommes contraints de *déchiffrer* un livre. Sans doute les larges audiences que recueille le cinéma comportent-elles une majorité de spectateurs fascinés par l'image et une minorité active, comparable à celle qu'obtient la littérature et qui, prenant ses distances, sait déchiffrer les signes. Pour le roman et le cinéma, l'avenir réside sans doute dans l'établissement de leurs spécificités respectives, ou, si l'on préfère, dans la recherche, toujours élargie, reprise et précisée, de leur définition.

# II

## PROBLÈMES DE LA DESCRIPTION

# LA DESCRIPTION CRÉATRICE :
## UNE COURSE CONTRE LE SENS

> *Ces pages purement descriptives au milieu desquelles un artiste, pour les rendre plus complètes, introduit une fiction, tout un roman.* (MARCEL PROUST.)

## I. DESCRIPTION ET SENS

### A) *Objet décrit, sens nécessaire.*

Tout objet quotidien est inépuisable : si l'attention se renouvelle, elle en multiplie *indéfiniment* les aspects. Désigner par la description un objet, en revanche, c'est mettre en œuvre une constellation *close* de qualités. Cette limitation nécessaire, par laquelle un choix se trouve en quelque manière postulé, implique donc la présence latérale d'un sens. C'est sur un tel sens *institué* que se fondent la plupart des descriptions conséquentes. L'attention d'un paysan, d'un cartographe, d'un couple amoureux permet de déterminer, à chaque fois, les éléments d'un paysage. A l'un correspond moissons et prairies, à l'autre telle particularité synclinale, aux derniers ce bosquet touffu.

Le rapport entre l'objet décrit et le sens joue selon une intense mobilité. En mainte occurrence, le sens institué, support de la description, détermine un étrange affaissement descriptif. Autorisant la limitation descriptive, le désir des deux amants n'en est pas moins la cause d'un avilissement de la description. Si le bosquet est évoqué, c'est par un ensemble de métaphores : par des sens figurés comme *accueillants*, par des comparaisons comme *nid d'amour*. Ces évocations vagues ne participent nullement à la création descriptive d'un objet : seule affleure en ce cas la naturalisation végétale de la notion de cachette amoureuse.

Il y a un permanent conflit entre ces deux grandeurs inséparables : la description et le sens. Plus le désir, ici, se manifeste sur le mode *explicite* (par la vertu des précisions métaphoriques) et plus le bosquet devient *imprécis*; sa présence reste floue, indécise, à la merci de tout caprice du lecteur. Une description stricte, au contraire, définissant la situation du bosquet, *précisant* la plantation serrée des arbustes, le développement des buissons, des herbes et des mousses, réduit à une *éparse* présence le désir des amants : seule une interprétation des caractéristiques du bouquet d'arbres permet de l'inférer. Décrire, c'est, en ce cas, restreindre au niveau d'une implication diffuse le sens préalable sur lequel se fonde la description.

B) *Du sens à la description.*

Plusieurs auteurs évitent certes de jouer avec cette contrainte. Ils se contentent souvent d'*annoncer* le sens de la description. Les premières pages des romans de Balzac abondent en procédés de se genre : les descriptions s'y proposent, innombrablement, comme " la preuve " d'un " axiome ". Dans la première partie d'*Ursule Mirouet*, Désiré Mirouet qui vient d'arriver est décrit de la façon suivante :

> Une légère esquisse de ce garçon *prouvera combien Zélie* [sa mère] *fut flattée en le voyant.*
> L'étudiant portait des bottes *fines*, un pantalon blanc d'étoffe anglaise à sous-pieds en cuir verni, une *riche* cravate *bien* mise, plus richement attachée, un *joli* gilet de fantaisie, et, dans la poche de ce gilet, une montre plate dont la chaîne pendait, enfin une courte redingote en drap bleu et un chapeau gris; *mais le parvenu se trahissait* par les boutons d'or de son gilet et par la bague portée par-dessus des gants de chevreau d'une couleur violâtre.

Ainsi, la description a-t-elle ici pour vertu de prouver un sens préalable : l'élégant, puis le parvenu. Une technique si claire et fréquente mérite un commentaire scrupuleux. Remarquons donc que les rapports liant le sens et les objets décrits varient entre deux limites.

*a) Premier cas :* Judicieux, les objets décrits effectuent indiscutablement la démonstration annoncée : les boutons et la bague, par exemple, trahissent exactement le parvenu. La préalable précision ou la description subséquente se trouve alors nécessairement condamnée à la *redondance*. Clairement significative, la description pouvait se passer de l'intempestive annonce; celle-ci proclamée, la description devient strictement *illustrative*.

Cette double présentation, par le sens et l'apparence, est l'origine d'une des plus pernicieuses influences balzaciennes. En réduisant la description à un ornement inutile à l'intelligence du texte, Balzac a renforcé le piètre préjugé assurant que doivent être passées, dans un roman, toutes pages descriptives.

*b) Deuxième cas :* Supposons que Balzac, en vertu de son pouvoir discrétionnaire, attribue aux objets décrits un sens qu'ils sont loin, en vérité, de présenter : les boutons et la bague ne révèlent nullement le parvenu. L'usage du sens préalable comme critère sélectif des objets décrits est alors perdu. A la limite, l'écrivain n'a plus à inventer sa description : fort du sens qu'une précieuse licence leur insuffle, il peut décrire de *quelconques* objets.

Qu'une interrogation atténue le *diktat* sémantique de l'auteur, et l'incohérence des propositions apparaît dans une clarté détersive. Si, Minoret-Levrault attendant son fils sur la route, Balzac risque ces lignes où la violence du sens préalable est atténuée :

> Ne faut-il pas être bien *maître de poste* pour s'impatienter devant une prairie où se trouvaient des bestiaux comme en fait Paul Potter, sous un ciel de Raphaël, sur un canal ombragé d'arbres dans la manière de Hobbema ?

l'inconséquent édifice s'effondre. Il suffit d'être père et de s'inquiéter du retard de quatre heures qui diffère le retour d'un être cher. Le refus de considérer le paysage répond non au prosaïsme affirmé, mais à une inquiétude par ailleurs admise.

Rompre le délicat rapport qui unit sens et description, en faisant précéder les objets décrits d'un sens tonitruant c'est osciller entre la redondance et une gratuité contraire à toute cohérence créatrice.

*C) De la description au sens.*

Il y a un autre type de rupture. C'est le cas inverse, où le sens explicite succède à la description. Borges dans *l'Immortel*, premier récit de *l'Aleph*, en donne une cascade d'exemples :

Je pris pied sur une sorte de place, ou plutôt une cour. Elle était entourée d'un seul édifice de forme irrégulière et de hauteur variable; diverses coupoles et colonnes appartenaient à cette construction hétérogène. Avant toute autre caractéristique du monument invraisemblable, l'extrême antiquité de son architecture me frappa. *Je compris* qu'il était antérieur aux hommes, antérieur à la terre. Cette ostensible antiquité (bien qu'effrayante en un sens pour le regard) me parut convenable à l'ouvrage d'artisans immortels.

Nulle redondance, ici : le sens diffus pris dans la description s'accomplit en sens précis. Il y a interprétation : " Je compris. "

Notons combien cette mise à jour d'un sens arrête la phrase descriptive. C'est que, se prolongeant, la description s'avilirait en balzacienne redondance. Tout le passage se constitue par des reprises descriptives interrompues par interprétation :

> Prudemment d'abord, puis avec indifférence, non sans désespoir à la fin, j'errai par les escaliers et les dallages de l'inextricable palais. Je vérifiai ensuite l'inconstance de la largeur et de la hauteur des marches : *je compris* la singulière fatigue qu'elles me causaient. " Ce palais est l'œuvre des dieux ", pensai-je d'abord. J'explorai les pièces inhabitées et *corrigeai*; " Les dieux qui l'édifièrent sont morts. " Je notai ses particularités et *dis* : " Les dieux qui l'édifièrent étaient fous. "

## D) *Sens hypothétique.*

La description, donc, singulièrement, ne connaît pas de plus rigoureux adversaire que l'auteur même de sa cohérence : le sens. Le sens annonce-t-il la description, comme chez Balzac, qu'il la rend caduque; s'y insère-t-il comme chez Borges, qu'il l'interrompt. Toute précise présence du sens est par conséquent intempestive.

La diffusion en laquelle le sens doit se maintenir n'est pas un état stable. Reprenons notre exemple : la préalable idée d'abri amoureux se précise en cachette végétale; celle-ci permet le choix d'éléments " concrets " : arbres serrés, taillis, mousses abondantes. Ainsi le bosquet est-il le lieu d'une perpétuelle tension entre son essence de cachette et sa singularité d'objet décrit. Cet écartèlement définit deux seuils de rupture. La description s'attache-t-elle excessivement au concret (détails microscopiques : feuilles, irrégularités des écorces...), que la notion de cachette disparaît : la description, abandonnant son principe directeur, s'enlise dans une insignifiante concrète profusion. Les éléments significatifs, au contraire, s'accumulent-ils indûment, que la notion de cachette s'impose avec une indiscutable évidence. Si de nouveaux détails sont proposés ensuite (basses branches, ombre du sous-bois, accès difficile), ils deviennent redondants, balzacienne illustration. Pour permettre le plein développement descriptif, le sens doit donc s'affirmer pour s'être laissé perdre, s'éloigner pour s'être montré trop vif. Il doit chatoyer, s'offrir comme sens *hypothétique*.

## II. DIRECTIVES FORMELLES DE LA DESCRIPTION

Trop de romans abandonnent la description aux fantaisies. Reconnaître au sens préalable l'aptitude à déterminer la cohérence d'une description apparaît donc comme un progrès. Cette technique est cependant profondément contestée, aujourd'hui, par l'exercice de ce qu'il convient d'appeler *description créatrice*.

Le sens n'est en effet nullement le *seul* critère sélectif possible. On peut supposer que la cohérence d'une description soit acquise par des directives *formelles*. C'est dans cette optique que je propose la lecture de *Description panoramique d'un Quartier moderne*, l'un des récits de *Navettes* de Claude Ollier :

(1)  Le gratte-ciel se reflète sur la vitre de la fenêtre ouverte, sur la vitre du battant gauche de la fenêtre, seul ouvert, sur la moitié gauche du battant gauche, seule à refléter une image précise, la moitié droite ne renvoyant qu'un éclat vif, bleuté, le ciel sans doute.

(2)  La façade rectangulaire du bâtiment — celle des quatre faces visible, réfléchie —, d'un brun mat légèrement jauni, est striée sur toute sa hauteur de rainures parallèles, plus sombres, apparemment continues, qui sont les alignements formés par les quadrilatères des fenêtres vus de très loin les uns en-dessous des autres, et dont la perception globale, simultanée, compose une trace sombre ininterrompue le long de la muraille, du haut en bas, et d'une fenêtre à l'autre dans tous les intervalles clairs.

(3)  L'image est celle d'un rectangle unique. Il y a peut-être un autre corps de bâtiment, plus étroit, surmontant celui-ci, consti-

tuant la dernière partie du gratte-ciel, ou l'une des dernières parties, puis un toit au sommet du gratte-ciel, de tuiles rouges ou vertes à très forte pente, percé d'œils-de-bœuf ou de lucarnes gothiques, ou bien ce toit immédiatement au-dessus du bâtiment visible (dont on apercevrait ainsi les tout derniers étages), ou un toit plat dans les deux cas, une terrasse avec un réservoir d'eau, ou un jardinet entourant une construction basse, ou un restaurant aux larges baies vitrées, avec promenade périphérique, table d'orientation, longues-vues à dix cents, ou rien du tout : une terrasse nue...

(4)     Sur la vitre, ne s'inscrit que l'image d'un rectangle unique, occupant exactement la moitié gauche du battant, ayant exactement la même largeur sur toute la hauteur du battant.

(5)     La moitié droite ne peut réfléchir que le ciel, un fragment de ciel vide, vacant, un éclat uni, bleuté, aveuglant.

(6)     Pour l'instant, le battant de la fenêtre n'est ouvert qu'à demi — ou à demi fermé. Il se trouve donc approximativement dans le plan bissecteur de l'angle droit formé par la cloison de la chambre et le mur extérieur de la maison. Approximativement, car la fenêtre n'arrive pas jusqu'à la ligne d'angle du mur, il s'en faut d'au moins vingt centimètres ; d'où — entre autres conséquences — que le battant gauche peut pivoter de plus de quatre-vingt-dix degrés.

(7)     Cela se produit parfois, sous l'effet d'un coup de vent, mais rarement, et le temps est au beau pour le moment, l'air calme, peu agité. Il fait très chaud, le soleil donne en plein midi.

(8)     A bien regarder, un mince liseré bleu apparaît sur la vitre en marge du gratte-ciel, à gauche, entre l'arête du gratte-ciel et le montant du cadre. L'édifice est donc bien en vue dans sa totalité — la totalité de la largeur du fragment de façade visible. Il doit dater du début du siècle, ou de la fin du siècle dernier, construction en briques très certainement, peintes en brun pâle ou gris-jaune, le brun ou le gris s'étant vite recouvert de patine. Ce qui étonne, c'est l'absence de reflet sur l'une quelconque des vitres, des multiples fenêtres étagées sur toute la hauteur du building, on pourrait facilement les dénombrer, vingt-cinq ou trente (étages) multiplié par dix ou douze (bandes verticales), deux cent cinquante fenêtres au moins, et pas un seul reflet, à croire que tous les stores sont baissés, toutes les jalousies, ce qui est peut-être le cas, par cette chaleur, ce soleil de plomb, cette lueur éclatante, en plein midi...

(9)     Au-delà du battant entrouvert se dresse le plan vertical de la
cloison qui sépare la chambre de la pièce attenante et se poursuit,
blanc, nu, sans ornement, jusqu'à la rencontre avec le plan vertical blanc de la cloison séparant la chambre du couloir, qui se
continue, blanc, nu, sans aucune décoration, jusqu'à la porte
peinte en blanc, fermée à double tour, dont le chambranle tombe
à quelque vingt centimètres de l'angle, au-delà duquel... Bref,
la chambre est à peu près carrée, ses quatre murs sont blanchis
à la chaux, il n'y a ni glace, ni tableau, ni dessin, ni photographie,
nulle part. Une chaise en bois blanc est posée devant la porte,
une cantine métallique vert foncé rangée contre la cloison du
couloir, surmontée d'une valise en cuir, d'un sac pliable pour les
complets-vestons, et de trois mallettes en toile de dimensions et
de teintes variées.

(10)    Fictivement prolongé dans les trois directions (haut, bas,
latérale), le battant à demi ouvert diviserait la pièce en deux
volumes approximativement équivalents, deux prismes triangulaires droits, dont l'un serait (est) au soleil dans sa plus grande
partie, et l'autre de même à l'ombre, une ombre relative, très
claire, étant donné l'heure, l'état dégagé du ciel, la latitude,
la saison. Au demeurant, les rayons du soleil atteignent l'ouverture de la fenêtre sous un angle tel qu'ils se projettent
jusqu'au pied de la cloison opposée. La surface ensoleillée à
l'intérieur de la chambre est ainsi délimitée par une ligne droite
courant sur le plancher au pied de la fenêtre, une diagonale sur
la cloison qui fait face au lit, une parallèle au mur extérieur courant sur le plancher à courte distance de la cloison du couloir
(se scindant en plusieurs tronçons sur l'obstacle de la cantine),
une diagonale reliant la porte à l'extrémité droite du cadre de la
fenêtre (se brisant en plusieurs fragments sur l'obstacle du
lit).

(11)    Le pied du lit est en plein soleil.

(12)    Un réseau de fines poussières, à cet endroit, plane en suspension
dans la lumière dorée qui afflue de l'extérieur. Les particules
brillantes remuent à peine, tournent imperceptiblement sur
elles-mêmes, montent, descendent avec une lenteur extrême.
Et puis elles se déplacent brusquement de la fenêtre vers le centre
de la pièce, où elles restent à tourbillonner quelques instants
en un entremêlement confus, puis le mouvement se ralentit, et
les granules scintillants planent de nouveau, quasiment immo-
biles.

(13)   Le courant d'air a fait pivoter le battant, l'ouvrant un peu plus encore. L'ordonnance des reflets s'en trouve dérangée : expulsée vers la droite, la bande de ciel bleu est sortie du cadre, et par une translation égale, l'image du gratte-ciel jauni a pris sa place. A celle du gratte-ciel s'est substituée une figure plus complexe, un dégradé de formes rectangulaires dont la perspective s'établit progressivement : deux bâtiments neufs au premier plan — construits en verre et en acier — dissimulent en partie un troisième édifice, plus ancien, plus élevé aussi, qui n'apparaît en totalité que dans la moitié supérieure de la vitre, l'intervalle entre les deux ouvrages récents n'en laissant voir jusqu'alors que le corps médian. C'est un grand gratte-ciel en pierre de taille ou en béton, terminé par un toit de tuiles à quatre pentes, quatre faces triangulaires équilatérales d'un vert pâle délavé. Un mât est planté au-dessus du toit; un drapeau flotte au sommet du mât : ses couleurs sont impossibles à distinguer.

(14)   Quant aux deux buildings récemment achevés, ils s'impriment sur la fenêtre comme l'image de deux immenses vitres quadrillées. L'armature d'acier est à peine visible, le verre occupe presque toute la surface des façades : les taches bleues qu'elles reflètent, jouxtant le bleu du ciel réfléchi sur le haut du battant, feraient croire à leur complète transparence — ou plutôt (car leur transparence est certaine, vérifiable sous un angle donné au travers de deux façades opposées) à leur inexistence pure et simple (l'échafaudage métallique se dressant seul vers le ciel) —, n'était l'élimination (alors inexplicable) de la plus grande partie du gratte-ciel à l'arrière-plan, n'était de surcroît la découpure, dans le bas des façades vitrées, d'une ligne brisée délimitant une surface plus sombre qui ne peut être que le reflet d'une construction monumentale située de l'autre côté (de ce côté-ci) de la rue.

(15)   Tels quels, s'élevant jusqu'à mi-hauteur du battant, les deux gigantesques pans de verre présentent exactement le même aspect. On les dirait sans épaisseur, plantés à cet endroit comme de parfaits échantillons d'une nouveauté technologique. Des éclairs luisent par instants sur les tiges d'acier, luisent ici et là sur les poutrelles verticales, linéaires, enserrant les glaces juxtaposées, et derrière elles, plus mate, se dresse la façade grise du gratte-ciel à l'horizon — pierres ou béton, fenêtres invisibles —, nue, sans ornement, et autour d'elle, derrière elle, le ciel clair, sans nuages, et au-delà le mur blanc, nu, sans ornement, qui se poursuit, terne, uni, jusqu'à la porte blanche, peinture blanche,

fermée à double tour, et la chaise posée devant elle, jusqu'à l'angle, près du chambranle, jusqu'au lit, jusqu'au pied du lit, qui est en plein soleil, où court la ligne brisée délimitant les zones de lumière et de pénombre, qui se continue sur le plancher, droite, diagonale, en direction de la porte, puis sur les lattes du plancher le long de la cloison du couloir, se scindant en plusieurs tronçons sur l'obstacle de la cantine, la cantine métallique, la valise de cuir, les mallettes de couleurs, de dimensions variées, segments de lignes brisées, et de nouveau le plancher, le mur, et ainsi de suite, tout autour de la chambre, les lignes de partage délimitant les surfaces d'ombre et de lumière, les surfaces planes délimitant les formes ensoleillées.

(16)  Les formes que composent les faisceaux lumineux à l'inté-rieur de la pièce semblent de prime abord échapper à l'analyse. La perspective fait défaut, qui rétablirait l'échelonnement. En l'absence de recul, elles apparaissent, si proches, soudées les unes aux autres en un bloc homogène, diaphane, allant s'élargissant en direction du couloir — un coin du lumière fiché transversa-lement dans la fenêtre de l'intérieur de la chambre —, agité de mouvements multiples, contraires, traces fugitives laissées par les particules en suspension dans l'air tournant lentement sur elles-mêmes, se mouvant par brusques secousses infimes, décri-vant des cercles étroits, des tracés spiralés, brillant par inter-mittence, en certains points mal définis des courbes. Puis des lignes de clivage se dessinent, des plans divisant la masse scintil-lante, la décomposant en volumes simples, aisément reconnais-sables : cylindres, cônes obliques, prismes quadrangulaires droits, parallélépipèdes rectangles, calottes sphériques, pyra-mides régulières, troncs de cônes, tétraèdres. Ensuite, par menus glissements et rotations simultanées, les divers éléments viennent s'ordonner dans le prolongement les uns des autres, comme s'ils s'articulaient sur un axe unique à partir d'une cellule commune : un prisme transparent surgi de biais du plancher en direction de la fenêtre, engendrant d'autres prismes de base de plus en plus restreinte, dont les arêtes ne tardent pas à s'estomper, les faces à s'incurver : un peu plus tard, c'est une longue fusée gigogne qui traverse la chambre en diagonale, pointée vers le ciel, ses étages supérieurs échappant au regard, lancée dans l'espace vacant, sans bornes, du dehors; et puis, tout a bougé très vite, le repliement s'est effectué en un clin d'œil, il ne subsiste plus à l'intérieur de la chambre qu'une masse lumineuse, compacte,

boursouflée, agitée de courants inverses, désordonnés, herméti-
quement close.

(17)   La fenêtre s'est presque complètement rabattue. L'image du
gratte-ciel et des deux bâtisses neuves, expulsée vers la gauche,
est sortie du cadre de la vitre. La bande de ciel bleu y est
rentrée, occupant maintenant le tiers gauche du battant. Au milieu,
se trouvent plusieurs constructions de taille, de teinte et d'architecture diverses, moins élevées que les précédentes, mais visibles
sur une assez grande distance, car étagées sur une colline que l'on
voit plus à droite sillonnée d'autoroutes bâties sur pilotis, se
chevauchant et communiquant par des réseaux de voies secon-
daires enchevêtrées. De très nombreuses voitures roulent côte
à côte à grande vitesse sur leurs allées. Des vitres, des enjolivures
chromées scintillent par intermittence en certains points mal
définis des courbes — lueurs vives, extrêmement brèves, frappant
l'œil à intervalles irréguliers, chocs subits, imprévisibles, lanci-
nants.

(18)   Le battant, qui s'est refermé tout à fait, tape contre la crémone.
Le tintement résonne de nouveau, clair — claire vibration métallique frappant à intervalles irréguliers, imprévisibles, le tympan.

(19)   Le montant de bois se remet à battre contre la poignée de fer,
va se remettre à battre, se rabattre, s'écarter, cogner, sans disconti-
nuer. L'air de la chambre, coupé de l'extérieur, redevient moite,
étouffant.

(20)   Il faut en finir une fois pour toutes et il n'y a qu'un seul moyen :
ouvrir le battant en grand et le caler avec la chaise contre la
cloison. Mais c'est se relever une fois de plus, s'approcher de la
fenêtre...

(21)   S'approcher de la fenêtre, revenir en plein soleil, en pleine
lumière...

(22)   En pleine lumière, apercevoir encore ces façades grises, rayées,
ces toits de zinc, ces mansardes aux lucarnes ovales, délabrées,
ces murs au revêtement vétuste, ces lézardes, ces fissures...

(23)   Ces perspectives de toits gris, en plein midi...

(24)   Revoir à nouveau — avoir de nouveau en vue ce quartier
sombre, ramassé : maison basses, grises, pans de murs disparates,
trottoirs étroits, rues resserrées, gouttières, plaques de zinc,
cheminées...

(25)   Ces cheminées, par centaines, ces cheminées par milliers,
étagées à la ronde, échelonnées, sans fin, partout alentour, à perte
de vue, jusqu'à la ligne d'horizon.

*A*) *Rôle créateur du panoramique.*

La longueur du titre proposé par Ollier n'est aucunement capricieuse. La description s'y trouve ainsi définie en son principe. Elle ne sera choisie par nul sens préalable. Panoramique, elle obéira à une rotation de la visée. Ce déplacement circulaire semble prétendre à une sorte d'exhaustivité : il se borne à déterminer entre les objets un ordre successif. C'est ici qu'il importe de rappeler les différences qui séparent un panoramique descriptif et le mouvement d'une caméra.

Quels que soient leur complication et leur nombre, la pellicule *cadre* toutes choses en leur face et une relative profondeur. L'on sait au contraire combien la description n'obtient pas globalement les objets, les désigne l'un après l'autre, et chacun par le jeu de précisions successives. Par sa prétention exhaustive et son mouvement, le panoramique semble donc refuser à la description ce qui la rend facile : choix et fixité de l'objet. C'est sur cette tension que s'appuie ici Claude Ollier.

Comme si l'auteur avait tenu à réunir l'ensemble des problèmes, le texte s'édifie par le jeu de deux panoramiques distincts et de conceptions différentes : l'un est extérieur, l'autre intérieur.

*B*) *Panoramique extérieur.*

Abandonnée la sélection de l'objet selon un sens préalable, le choix s'accomplit par l'effet d'un cadre. Cette nécessité appelle *l'invention* de la fenêtre. (Nous retournons ici l'hypothèse bachelardienne, supposant que la matière inspire un langage; dans *l'Eau et les Rêves*, par exemple, l'eau se révèle *source de métaphores* : " Bien d'autres poètes ont senti la richesse métaphorique d'une eau contemplée *en même temps* dans ses reflets et dans sa profondeur (...). Comment mieux dire que l'eau *croise* les images ? Comment mieux faire comprendre sa puissance de métaphore ? " Nous préférons dire que l'eau, en raison de ses caractéristiques, est *convoquée* par la fonction métaphorique, comme la fenêtre est *appelée*, ici, par la panoramique description.)

Les montants de bois délimitent idéalement le *réduit* créateur qui choisit l'objet. Les gratte-ciel, dehors, ne sont donc pas, ainsi qu'un vain réalisme le prétendrait, la *cause* du reflet posé sur la vitre : ils sont la *conséquence* de ce reflet. La vitre (et ses frontières), en établissant l'espace de la description, est l'origine même de l'existence des buildings. Le texte en apporte diverses assurances :

*a*) Le verre n'existe ici que par sa seule aptitude réflexive ; il est matière démiurgique d'un magique miroir. Privé de cette vertu (" ce qui étonne ", alinéa 8), il disparaît, masqué par stores et jalousies. Réduit par hypothèse (alinéa 14) à sa simple transparence, il devient " inexistence pure et simple ". Si sa réflexion aussitôt se retrouve c'est parce qu'elle abolit ce qui est *derrière*, composé hors d'elle : " la plus grande partie du gratte-ciel à l'arrière-plan ".

*b*) Tout ce qui, des bâtisses, dépasse les montants de la fenêtre, n'accède pas à l'être. L'extrapolation (alinéa 3) du sommet de l'édifice s'affole, s'embrouille dans une suite de propositions contradictoires qui l'une l'autre s'annulent, et se clôt sur l'exacte formule d'une inexistence : " *ou rien du tout* : une terrasse nue... "

*c*) A la fin du texte (alinéa 20 à 25) se produit un déplacement du narrateur vers la fenêtre. Cet abandon du rôle créateur de la vitre (et du principe panoramique) détermine la disparition des buildings. Apparaissent alors les cheminées, objets indescriptibles (" à perte de vue "), en raison de leur nombre (" par centaines, par milliers "), et de l'impossibilité de les cadrer (" sans fin ") à l'intérieur de précises limites. Cette clôture du texte n'est pas indifférente : tout se passe comme si le récit, victime de son inconséquence méthodologique, perdait le droit de se poursuivre. Cette fin est un apologue. Par cette ultime fable, le texte désigne ses propres conditions de possibilité : une fois encore la fiction signale la narration qui l'instaure.

Mais la fenêtre répond à une autre nécessité. La description étant incapable de créer globalement un objet, le panoramique se trouve divisé entre une pure et simple énumération qui rendrait le mouvement mais non les objets, et la description qui, faisant le tour des formes, provoquerait les objets mais non le mouvement. Le battant de la fenêtre, comme un miroir tournant immobilisé dans ses positions successives, effectue l'analyse de ce déplacement en ses composants figés. Chaque objet, enserré dans l'étroit espace qui le suscite, se trouve proposé par l'expulsion du précédent.

*C) Panoramique intérieur.*

Objet, la fenêtre demande un support matériel, la pièce dont elle est la fenêtre. Charnière du panoramique extérieur, elle localise la place nécessairement immobile de l'écrivain (dont elle est le relais), le lit dans l'angle non décrit de la pièce. Le panoramique extérieur utilise donc la seule moitié droite de l'espace total. Le rétablissement de l'équilibre exige un panoramique intérieur, symétrique du premier.

Dans ce nouveau mouvement, le problème du cadrage ne se présente pas sans difficulté. Plus de montants de bois pour délimiter un espace idéal. La frontière droite est certes marquée par le battant et le changement radical du spectacle (le reflet), non la limite gauche. Le battant de la fenêtre, utilisé avec subtilité, joue, de nouveau, un rôle miraculeux. Son rôle créateur se trouve utilisé, si l'on peut dire, perpendiculairement. Les vertus que possédait sa face, se trouvent reportées sur son profil. Le plan bissecteur vertical qu'il définit dans le cube de la chambre lors de sa position initiale (privilégiée : les images successives du quartier sont obtenues, par rapport à elle, selon des positions symétriques, à droite, alinéa 13, à gauche, alinéa 17) définit le champ même de la description. Cette diagonale rencontre l'angle opposé, la porte.

L'espace n'est donc pas convenablement stabilisé. La possible ouverture de la porte risque de provoquer un agrandissement brutal du spectacle, une complication du problème. Elle est donc fermée à double tour. Semblable fermeture est abstraite. La chaise, propose comme un troisième tour de clef *visible*. Elle compte donc aussi parmi les aboutissements concrets de ce singulier processus créateur.

La limite gauche, toutefois (comme si le plan bissecteur, en s'éloignant de la fenêtre perdait de son influence magique), reste insuffisamment déterminée. L'espace prismatique à décrire exige une complémentaire définition. La lumière y répond, qui le remplit presque en entier. Elle ne prend son plein éclat, cependant, que sur les surfaces qu'elle éclaire. Les poussières illuminées (alinéa 12) la matérialisent, procurent à l'espace descriptif cette spécifique densité qui répond par symétrie à la tonalité particulière du reflet de la vitre.

Il faut noter, à présent, combien large demeure encore l'espace ainsi cadré, et sans réduction possible, cette fois, à des fragments successifs. Or, la difficulté du mouvement panoramique, nous le savons, s'accroît en fonction du nombre et de la complexité des objets (ici : meubles, tableaux, photographies, étagères, bibelots) qui se peuvent rencontrer. Ce problème que tout précis descripteur a rencontré, Flaubert par exemple qui signale dans une lettre à E. Feydeau :

> A chaque ligne, à chaque mot, la langue me manque et l'insuffisance du vocabulaire est telle, *que je suis forcé à changer les détails très souvent,*

est résolu ici par le vide, par cette rigueur de cellule. La neutralité du mur constitue en outre le parfait écran sur lequel se détachent les scintillants corpuscules qui définissent, dans la pièce, le volume descriptif.

### D) *De la symétrie à l'analogie.*

A mieux lire, les deux panoramiques ne s'accordent point par seule symétrie. Cette symétrie se trouve elle-même désignée par une parenté plus profonde, de nature analogique. De l'extérieur à l'intérieur, les tournures comme les objets décrits se répondent continûment. Retiendront seules notre intérêt, ici, les analogies les plus visibles, qu'il faudrait nommer pédagogiques, dans la mesure où elles signalent la présence de plus subtils rapports.

" Ces éclairs qui luisent par instants sur les tiges d'acier " (alinéa 15), ces enjolivures chromées qui " scintillent par intermittence en certains points mal définis des courbes " (alinéa 17) dans l'espace extérieur, correspondent, en l'espace intérieur, à " ces particules brillantes ", ces " granules scintillants " (alinéa 12), ces particules encore brillantes par intermittence (alinéa 16) " en certains points mal définis des courbes ".

Quant à cette " ligne brisée délimitant une surface plus sombre " (alinéa 14), dehors, elle se retrouve, dedans (alinéa 15) dans " cette ligne brisée délimitant les zones de lumière et de pénombre ".

La parenté est non moins nette entre la " longue fusée gigogne qui traverse la chambre en diagonale, pointée vers le ciel, ses étages supérieurs échappant au regard " (alinéa 16) et le gratte-ciel (alinéa 3), notamment, dont le sommet échappe à la vue : " Il y a peut-être un autre corps de bâtiments plus étroit surmontant celui-ci. " Ou encore entre (alinéa 15) " la façade grise du gratte-ciel (...) nue, sans ornement " et " le mur blanc, nu, sans ornement ".

La plupart des objets sont donc ici obtenus par une procédure bilatérale dont les prolongements obéissent, dans le détail, aux directives formelles données initialement à la description.

### E) *Physique de la fiction.*

Une semblable création, pour s'accomplir, ne s'inquiète guère, çà et là, d'évidentes incohérences réalistes. Dans une optique quotidienne, la vitre refléterait des cheminées, non des gratte-ciel. Comme la chambre est close, le courant d'air qui fait pivoter la fenêtre est douteux. La lumière ne se propageant point en éventail, elle ne saurait nullement éclairer le mur perpendiculaire à la fenêtre et s'écarter tout à la fois de lui selon une diagonale qui va toucher la porte (alinéa 10).

Ces contradictions nous montrent à quel point, dès qu'elle devient créatrice, la description construit un monde fictif dont la physique correspond à des lois spécifiques, un monde où, s'il le faut, le vent se joue des portes, la lumière diverge et les vitres inventent.

Cet ensemble de phénomènes aberrants compose ce qu'il faudrait appeler une *physique fictive* dont la détermination précise permet, en toute occurrence, de saisir l'écriture par son versant de fiction.

### III. ÉBAUCHE D'UN SENS SUBSÉQUENT

En se composant selon les directives formelles prescrites à la description, les objets désignés s'ordonnent suivant un croissant faisceau de rapports. Ces rapprochements s'ouvrent à des esquisses de sens, variables en chaque cas : il y a, aussitôt, incessant et contradictoire mouvement d'interprétation. De ce foisonnement, peu à peu, par recoupement, une hypothèse se dégage. Et il n'est pas exclu que l'auteur, intuitivement, lui accorde certaines satisfactions, en accueillant dans sa prose toutes sortes de duplicités.

C'est un aperçu de ce phénomène que nous voudrions donner maintenant.

### A) L'intimité, la pudeur.

Nous le savons : ce texte se trouve centré sur la fenêtre qui demande la pièce, puis le panoramique intérieur. Le cadre que celui-ci exige partage la pièce en deux prismes droits dont l'un se voit refuser la description. Génératrice du panoramique extérieur, la vitre, en sa rotation, postule l'immobilité de la visée qui s'y pose. Il est facile au panoramique intérieur de composer avec cette exigence puisque la rotation est un mixte de mouvement et de fixité. L'intersection des deux nécessités, même, s'incarne bien naturellement : le buste restant immobile (panoramique extérieur), la tête sait pivoter autour de l'axe du cou (panoramique intérieur). L'immobilité la plus stable définit la position allongée (" Mais c'est se relever ", alinéa 20) : c'est-à-dire le lit. Se trouvant par principe hors de la description, il devient le *lit dont on ne parle pas*. Situé en outre dans la pénombre, il se trouve affecté d'un certain coefficient d'intimité et de pudeur. Souvenons-nous de cette porte deux fois close...

Mais, comme toute chose dont on refuse de parler (de la réticence marquée par les points de suspension, à l'évocation indirecte par la *chambre* : " de l'angle au-delà duquel ... Bref, la chambre est à peu près carrée ", alinéa 9), le lit devient mystère : il se pénètre de l'intérêt qu'on lui refuse. Amoindrir cette importance revient à faire la part du feu : le lit doit être partiellement évoqué. D'abord, la désignation reste secondaire; le lit apparaît comme le *complément* d'un autre objet : " sur la *cloison* qui fait face au lit " (alinéa 10). Puis, la difficulté qu'il recèle n'étant pas encore résolue, le lit est alors présenté comme obstacle à la lumière. Enfin il apparaît partiellement à l'alinéa 11 : " Le pied du lit est en plein soleil. " De réticence en abandon mesuré, par une évocation graduée comme un effeuillage, se laisse insensiblement découvrir le lieu secret.

### B) Substituts érotiques.

Admettre la chambre comme une indirecte évocation du lit, c'est lui reconnaître un rôle de substitut. Diverses particularités bénéficient d'une double entente et composent tout un système allusif dont la lecture n'est pas trop difficile.

Dans cette hypothèse, le thème de la chaleur, sans cesse repris, gagne une acuité singulière. S'il est deux fois interrompu par des points suspensifs, c'est qu'il est déjà trop dire : la chaleur est invitation à la nudité. Dès lors l'aberrante propagation de la lumière trouve une seconde fonction. L'éventail lumineux répandu dans la chambre suppose très proche la source qui l'émet. Ainsi le soleil est d'une certaine manière rapproché à quelques mètres de l'embrasure. L'incandescence absolue qui s'ensuit renvoie alors à une entière nudité.

Il est maintenant possible de saisir le rôle des points de suspension qui closent l'alinéa 3 : " une terrasse nue... " Ils désignent cette nudité comme une précision déjà presque excessive, qu'il convient d'interrompre. En offrant la nudité comme une absence d'ornement (" La façade grise (...) nue, sans ornement " et " le mur blanc, nu, sans ornement ") l'alinéa 15 apporte une caractéristique décisive. Le vêtement de la femme se définit si entièrement comme parure que présenter la nudité, ici, par une absence d'ornement, c'est signaler, marginalement, la présence d'un corps féminin. Le gris de la façade, le blanc de la cloison ajoutent leurs détails complémentaires : bien abritée, la cloison figure les zones intimes du corps, plus claires, que les vêtements protègent.

La nudité du corps féminin diffusée dans l'espace permet de lire la valeur sous-jacente du souffle aberrant qui circule dans la chambre. Ce vent devient caresse. S'il est substitut érotique, manière, pour les caresses, d'être dites, certains passages, privés de leurs références à des objets superficiels, doivent livrer leur charge érotique seconde. Si nous éliminons ces références dans l'alinéa 12 qui décrit les mouvements des poussières, soit huit mots sur quarante-six, et supposons un sujet adéquat, nous obtenons :

[Les phalanges] remuent à peine, tournent imperceptiblement sur elles-mêmes, montent, descendent avec une lenteur extrême. Et puis elles se déplacent brusquement (...) vers le centre (...) où elles restent à tourbillonner quelques instants en un grand entremêlement confus, puis le mouvement se ralentit...

Mais il faudrait aussi noter, à l'alinéa 16 :

> ... tournant lentement sur elles-mêmes, se mouvant par brusques secousses infimes, décrivant des cercles étroits, des tracés en spirales...

et, à l'alinéa 19, l'allusion au contact sexuel par l'intermédiaire du battant de la fenêtre :

> Le (...) se remet à battre (...), va se remettre à battre, se rabattre, s'écarter, cogner sans discontinuité. L'air de la chambre redevient moite, étouffant.

qu'il convient de préciser par ces lignes de l'alinéa 16 :

> Il ne subsiste plus à l'intérieur de la (...) qu'une masse (...) compacte, boursouflée, agitée de courants inverses, désordonnés.

### C) *Suicide de la description.*

Nous l'avons vu : le texte s'interrompt avec l'abandon du projet descriptif. Mais lisons mieux. Le récit s'arrête au moment où le narrateur envisage l'abandon du lieu érotique (" c'est *se relever* une fois de plus ", alinéa 21), de la pénombre intime (" revenir en plein soleil "), à l'instant où la tension sexuelle décroît. Il y a certes lieu de ne pas considérer comme symbole phallique toute verticale. La désignation indirecte par substituts que ce texte nous semble utiliser nous incite cependant à interpréter la diminutive métamorphose de " ce mât planté au-dessus du toit " (alinéa 13), "cette longue fusée gigogne qui traverse la chambre, pointée vers le ciel " (alinéa 16) et de tous les gratte-ciel, en la multitude dérisoire des cheminées, comme l'affaiblissement d'une tension.

Il faut donc souligner ici un phénomène essentiel. Entièrement produit ici par une écriture obéissant à des directives formelles, l'érotisme accroît peu à peu sa densité. S'il franchit ce seuil et devient sens hypothétique, il cessera d'être une *conséquence* de la description et deviendra source d'inspiration. La description *créatrice* se transformera en description *créée* par un sens. Ainsi peut-on définir la description créatrice comme *une course contre le sens*. Suscité par elle, un sens se développe, tend à s'imposer, et, fermant l'ouverture vers d'autres sens, il tend à diriger le mouvement descriptif. Le texte de Claude Ollier s'interrompt quand le sens a rejoint la description et entend passer maître. La fin du récit, cette " perte de la vue ", cet abandon du projet esthétique de base, doit être lue, en somme, comme l'acte d'une description qui, refusant la servitude, a recours au suicide.

## IV. DESTRUCTION ET SUSPENSION DU SENS

Résumons-nous. Les rapports qu'entretiennent la description et le sens peuvent se classer en quatre principales rubriques.

Un sens préalable annonce-t-il la description ? Celle-ci devient parfaite ou contestable illustration. Elle oscille entre la redondance et la gratuité.

La description précède-t-elle un sens irrécusable ? Elle forme alors une simple étape vers le sens. Elle est réduite au plus bref, abandonnée sitôt son effet obtenu.

La description s'accomplit-elle à partir d'un sens qui demeure lui-même discret jusqu'à ne pas outrepasser un statut d'hypothèse ? Elle est alors, en sa cohérence et sa servitude, une description créée.

Se développe-t-elle à partir de directives formelles ? Alors la description est créatrice. Elle invente en toute cohérence un univers et tend à susciter un sens avec lequel elle entre en lutte. C'est comme une course contre le sens que peuvent se lire maintes œuvres contemporaines.

### A) Une Jalousie méconnue.

Les critiques de *la Jalousie* se sont répartis en grand nombre selon deux camps adverses. Les uns ont jugé inexistante toute dimension psychologique. Sans avertissement, selon eux, elle passerait inaperçue. Ainsi Édouard Lop et André Sauvage, dans *la Nouvelle Critique* :

> En fait nous savons qu'il s'agit d'un jaloux, parce que le titre et cet avertissement que l'éditeur obligeant met en quatrième page de couverture pour soutenir la perspicacité du lecteur nous l'ont dit; mais c'est à peu près tout ce que nous saurons des ravages de cette passion une fois le livre terminé.

Les autres, en revanche, ont jugé la psychologie particulièrement riche et puissante, Bruce Morrissette notamment. Celui-ci relève, à juste titre trois moments essentiels : les soupçons naissants, une culmination morbide, l'apaisement. La critique de Morrissette, toutefois, se heurte à une insurmontable difficulté. Si les trois étapes sont établies de manière probante, la raison du passage de l'une à l'autre (de la culmination à l'apaisement, en particulier) laisse en revanche à désirer : l'apaisement final serait le simple effet du retour de l'héroïne après son voyage avec Franck. La crainte d'être abandonné s'estomperait ainsi dans l'esprit du narrateur. Pareille thèse ne s'accorde pas trop avec l'organisation a-temporelle de la fiction. Le retour de A... se place *aussi*, en effet, avant la culmination de la partie VII : pages 87 et 88, notamment. La progression psychologique de l'ouvrage échappe donc curieusement, en ses causes, à celui qui l'avait le mieux aperçue.

Il n'est pas impossible d'en découvrir la raison. Les critiques adverses ont un point commun. Dans les deux cas ils partent d'un postulat psychologique. Les premiers attendaient un sens irrécusable initial ou postérieur, l'analyse des sentiments ; et ils ne l'ont pas trouvé. Morrissette suppose une description créée qui peut convenir certes à plusieurs morceaux mais ne rend pas compte de la cohérence d'ensemble.

B) *Aventures de la description.*

Or, nous semble-t-il, le roman de Robbe-Grillet doit se lire comme une description *créatrice* exempte de tout sens préalable. Le projet de base se résumerait à deux intentions : décrire une femme dans le cadre de ses faits et gestes ; relier les scènes obtenues, non par un lien chronologique, mais par des transitions purement descriptives fondées sur des analogies.

L'absence d'une chronologie de la fiction révèle toute la valeur d'une autre chronologie, rigoureusement maintenue, celle de la narration. C'est bien l'ordre des mots, des paragraphes, des chapitres qui détermine l'axe temporel où se produit la course contre le sens. Selon un mécanisme facile à saisir dans son principe (cf. *Expression et Fonctionnement*), le rapprochement de l'héroïne et de Franck suscite un sens hypothétique : la croissante jalousie.

Sans cesse accrue par le mouvement descriptif, la jalousie, dans les scènes paroxystiques de la partie VII, s'apprête à le rejoindre. C'est elle qui inspirera une description désormais créée.

Dans la *Description panoramique d'un Quartier moderne*, nous l'avons vu, ce coude à coude se termine par le suicide de la description : la mort du texte. C'est une autre solution que propose *la Jalousie*. Puisque la description est maintenant soumise à un sens, que ce soit au moins un sens contraire. Condamnée à ne plus être créatrice, la description se fait *destructrice*. La jalousie décroît : c'est l'apaisement final. Ainsi un roman est-il pour nous moins *l'écriture d'une aventure que l'aventure d'une écriture.*

### C) Suspension du sens.

Il n'est sans doute pas impossible d'ouvrir à ces aventures de nouveaux domaines. Le suicide de la description et le sens contraire peuvent en somme se définir comme les solutions qui se présentent quand *le sens a rejoint la description*. L'on peut donc supposer qu'un livre se constitue sur de telles directives formelles que le sens y perde toujours sa course, se trouve en somme réduit à un rôle de *traînard*.

Ces principes sont innombrables. Imaginons par exemple ceci : le livre qui se compose acceptera que certains de ses passages soient *textuellement* dédoublés et que chaque double se greffe, une fois ou plusieurs, en divers points du texte, passés ou à venir.

Pour assimiler de si fondamentales perturbations, la fiction devra multiplier les hypothèses. Ces interprétations du livre par la fiction seront à leur tour remises en cause par les directives formelles, et astreintes à d'incessantes réévaluations. Le sens sera toujours pris à revers par le fonctionnement du livre, qui *changera la direction de la course*.

# UNE DESCRIPTION TRAHIE

*Il est toujours nécessaire de rappeler au romancier que ce n'est pas lui qui écrit son œuvre, mais qu'elle se cherche à travers lui et que, aussi lucide qu'il désire être, il est livré à une expérience qui le dépasse si même elle ne le menace pas.* (MAURICE BLANCHOT.)

## I. UNE ANGOISSE SCRIPTURALE

### A) *Les rapports descriptifs.*

Les premières pages du *Maintien de l'Ordre* sont le lieu d'un singulier phénomène. Le narrateur s'y trouve angoissé par la menace d'un attentat :

> A moins qu'ils ne décident soudain de brusquer les choses et d'en finir sur-le-champ, n'importe où, partout où l'occasion leur paraît propice, ici par exemple, sur le pallier du sixième étage ou même plus bas, malgré la présence des voisins, que les coups de feu ou un simple bruit de lutte alerteraient immanquablement... (p. 15).

dont aucun *événement* particulier ne permet de supposer avec certitude l'imminence :

> Mais non, ces craintes sont vaines : le risque est bien trop grand dans l'escalier, surtout aux étages inférieurs, où la plupart des locataires passent la journée cantonnés dans leurs appartements... (p. 15).

ou même la probabilité :

> Rien ne permet de croire à l'imminence de l'événement, ni même somme toute à sa simple probabilité... (p. 15).

Deux oisifs sont simplement assis depuis deux jours à la base de l'immeuble, sur un banc ou dans une voiture :

> La grosse voiture noire est là, arrêtée devant l'immeuble, un peu à gauche de l'entrée. Perez est assis au volant; Marietti, un chiffon à la main, astique la calandre du radiateur. Perez parle, et tout en parlant tapote du bout des doigts le levier du change-ment de vitesse. Marietti parle à son tour, fait un signe de la main, montre quelque chose sur le capot. Perez hausse les épaules et se cale sur la banquette... (p. 23).

Quoi de plus banal que tels gestes; de plus anodin, sans doute, que ces propos qui font hausser les épaules; de plus calme et naturel que le spectacle qui se livre par la fenêtre à l'attention du narrateur : ce jeu de boules, cette avenue où vont et viennent voi-tures et autobus ? Le danger perce pourtant, et avec une intense acuité, comme si, à défaut de trouver dans des événements sa raison, il prenait ses racines dans les développements de la des-cription.

C'est que les lois qui régissent les univers scripturaux n'ont qu'un lointain rapport avec celles qui régentent le monde quoti-dien. Les objets décrits, par exemple, se trouvent investis d'une importance toute particulière. Ils deviennent *notables* parce que notés, et *mis en étroit rapport* par leur rareté essentielle.

Nous savons aussi combien la description est astreinte à *épeler* les qualités de l'objet. Chaque attribut se trouve de cette manière *distingué* de l'objet nommé; il est le bénéficiaire d'une *mise en valeur*. Il suffit qu'un second objet décrit jouisse de la même particularité pour qu'il se trouve lié au précédent par un rapport dont la force est spécifiquement suscitée par les développements de l'écriture même. L'écriture tend alors à développer la fiction selon ses propres lois, à sécréter sa matière propre et sa propre orientation.

Les premières pages du *Maintien de l'Ordre* s'inscrivent selon ce phénomène. Le rapprochement littéraire de plusieurs ensembles d'objets provoque la création de lignes de forces scripturales qui, en interférant, se renforcent.

B) *Esquisse d'une série.*

Qu'il s'agisse du passage des automobiles :

> L'omnibus s'éloigne : la trépidation décroît. Plusieurs voitures défilent dans son sillage, sans laisser d'autre trace qu'un vrombissement clair et léger, *ponctué par deux coups d'avertisseur très brefs...* (p. 12),

plusieurs fois repris :

> Le ronronnement des véhicules qui défilent sur l'avenue est ponctué *de deux coups d'avertisseurs de volume et de durée variables, parfois très brefs, parfois répétés à intervalles rapprochés avec une insistance trahissant l'exaspération...* (p. 20),

d'une partie de boules :

> ... de l'autre côté de l'avenue, le *cliquetis des boules entrechoquées, les cris de joueurs...* (p. 27),

de la fermeture d'une porte :

> Le bouton *claque* dans la serrure... (p. 13),

ou d'une portière :

> La portière *claque...* (p. 35),

qu'il s'agisse d'une chute de pièces de monnaie :

> Un *tintement bref*, étonnamment clair, *résonne* dans la cage de l'escalier, suivi d'*une cascade de cliquetis* pareille à la chute d'une poignée de billes... (p. 18),

du graphisme indiquant l'étage :

> Face à l'ascenseur, à égale distance des deux groupes de portes, un grand chiffre 7 s'étale sur le mur. La barre oblique, large d'au moins deux centimètres, *est formée d'une multitude de coups de crayons rageurs, désordonnés, comme si l'exécutant s'était impatienté à un certain moment, et soudain pressé d'en finir, avait brusquement...* (p. 18),

ou des mouvements du pinceau lumineux d'un phare :

> A intervalles précis, *le faisceau de lumière balayant la côte faisait irruption dans la chambre...* (p. 27),

la description, tout occupée à préciser les plus infimes détails
d'objets très anodins, suscite et organise, par l'effet du commun
facteur mis en place, un implicite *thème de la rafale*. C'est la rencontre
de cette série (et de bien d'autres, la suivante par exemple) avec
les deux oisifs qui crée le danger et l'angoisse. Perez et Marietti
*deviennent* des tueurs par l'effet d'une écriture. Leur nonchalance
se transforme en cette attente de plus en plus nerveuse que seul
peut rompre cet acte décisif risqué, exaspéré, imaginé, leur montée
dans l'escalier (p. 26).

### C) *Série de la menace.*

L'incessante intrusion des éléments extérieurs les plus divers
dans la chambre, l'abri, détermine une constellation de la menace.
Le pinceau lumineux du phare (tout comme les bruits) participe
naturellement à cette série qu'étoffent également, avec insistance,
les multiples phénomènes de résonance où la plus étroite conjonction de l'immeuble (la chambre) et de la rue (l'extérieur) se trouve
établie :

> Tout près, mais invisible, tout en bas de l'avenue passe un
> *omnibus* à la trompe enrouée. *Le bruit du moteur et la trépidation de la*
> *chaussée se répercutent dans tout l'immeuble, depuis le porche aux mon-*
> *tants de fer forgé jusqu'aux fenêtres du dernier étage.*
> *Les battants de la fenêtre grande ouverte vibrent depuis les minces*
> *cloisons de la chambre, de la porte de la chambre, et au-delà, à deux pas*
> *sur le palier, la porte de la cage de l'ascenseur, qui, plus lourde, résonne*
> *plus longuement, plus sourdement. Mais peut-être résonnerait-elle de*
> *toute façon sans le bruit de l'autobus... Peut-être résonne-t-elle encore*
> *à la suite de ce claquement brusque, vieux de quelques secondes à peine,*
> *de cette fermeture brutale, précipitée, précédant de peu l'irruption dans*
> *la chambre et le claquement plus sec presque anodin de la porte de la*
> *chambre — rempart fragile, premier point d'appui, face à la fenêtre*
> *grande ouverte, première halte, le temps d'un bref répit, les quelques*
> *instants nécessaires pour reprendre souffle.*
> *La porte de l'ascenseur résonne toujours : c'est comme si la poignée*
> *de fer vibrait encore dans la paume de la main...* (p. 11-12).

Mis en relation avec les deux hommes, ce thème de la menace
(qui accuse la fragilité de l'abri, sa perméabilité au danger exté-

rieur) transforme la moindre de leurs allées et venues en danger immédiat :

> Les pas des deux hommes *résonnent* sur les marches du porche, puis dans le couloir, dans le vestibule devant la loge du concierge, puis sur les premières marches de l'escalier. *La cage de l'ascenseur vibre ; ses longues tiges métalliques vibrent sur toute la hauteur de l'immeuble, jusqu'à la porte du septième étage ; la porte de la chambre vibre, et les cloisons de la chambre, les battants de la fenêtre, toute la façade de l'immeuble, depuis la porte en fer forgé jusqu'aux fenêtres des derniers étages...* (p. 26).

Interférant avec l'automobile, il constitue l'origine scripturale de ce nouveau danger, l'accident provoqué :

> Un réflexe de prudence, avant de manœuvrer, a fait lever les yeux vers le rétroviseur : ce n'était plus le camion de vin que le petit miroir reflétait; une grosse voiture noire avait pris sa place, la vieille Buick sans pare-brise, qui roulait à une dizaine de mètres, exactement sur la même ligne, et *dont l'image tressautait à chaque gondolement de l'asphalte...* (p. 45).

L'on comprend mieux, donc, pourquoi la vibration de la poignée de l'ascenseur entraîne *le tremblement de la main.*

### D) *Série de l'arme.*

Des phrases aussi anodines, mais insistantes que :

> le bouton *claque* dans la serrure, le pêne sort de la *gâche*, la porte tourne lentement sur ses gonds... (p. 13),

et :

> Le bouton de la serrure *claque*. Le pêne du verrou, préalablement ramené en arrière, pénètre en deux temps dans la *gâche*... (p. 20),

s'insèrent dans ce que l'on pourrait appeler le thème de l'arme. Déjà affiliée par le claquement au thème de la rafale, c'est le fonctionnement d'une arme, en effet d'une certaine façon, que la serrure évoque par ses mécanismes, sa *gâche* si proche de *gâchette*. Larousse lui-même confirme le rapprochement :

> *gâchette :* Dans un fusil, un pistolet, pièce du mécanisme de détente terminée par une languette de fer sur laquelle on agit pour faire

partir le coup. *Petite pièce d'une serrure qui se met sous le pêne et l'arrête.*

Ne doit-on pas encore ranger dans cette série les gestes si minutieusement décrits des deux hommes ?

> Marietti, un chiffon à la main, astique la calandre du radiateur. (p. 23),

c'est son arme, en quelque façon, qu'il entretient. Et c'est sur elle également que Perez :

> Perez parle, et tout en parlant, tapote du bout des doigts le levier du changement de vitesse... (p. 23),

distraitement, porte la main. Cette relation, en tout cas, le texte la confirme plus loin :

> Leurs *revolvers* ne peuvent être que dans l'une des poches du pantalon, soit dans la poche de derrière spécialement réservée à cet usage, soit plus vraisemblablement — pour raison de discrétion — dans la poche de côté droite, car ils sont droitiers tous les deux, il n'est pour s'en convaincre que d'*observer la façon dont ils manient les clefs, les peignes, les chiffons...* (p. 159).

*E) Série du soupçon.*

Alors qu'il se rend en automobile de son bureau à son domicile, le narrateur est victime d'une dangereuse " queue de poisson ". Comme sa présence à cet endroit est inhabituelle, il suppose que les " tueurs " ont été prévenus par un employé du bureau :

> Quelqu'un a sûrement donné l'alarme. Saïd ? Tahar l'interprète ? Ortiz le comptable ?... (p. 56).

Saïd, on le voit, est le premier suspect. En outre, si les images par lesquelles le narrateur tente de reconstruire l'acte criminel ne " prennent " pas dans les cas de Tahar et d'Ortiz (huit et neuf lignes), elles se développent largement (trente-quatre lignes) dans celui de Saïd. De semblables soupçons resteraient incompréhensibles à cette étape du livre si les apparitions antérieures de Saïd ne présentaient quelques particularités :

> Au bref *tintement* de la sonnette, comme d'habitude, Saïd est aussitôt apparu, rabattant déjà la porte derrière lui, se figeant contre elle, *ses deux mains dans son dos enserrant la poignée...* (p. 39).

Cette entrée de Saïd s'accomplit donc selon la convergence de deux des thèmes de l'angoisse : la rafale (le tintement de la sonnette provoque l'immédiate apparition de Saïd) et l'arme (la serrure et la *poignée* que l'homme tient, semblent cachées derrière son dos). Saïd, en outre,

> L'image de Saïd, debout devant le porche de la rue Fayard sous le drapeau qui pique du nez, a rapetissé dans *le rétroviseur*, s'est faite minuscule, s'est effacée brusquement... (p. 43),

par le relais du rétroviseur, se trouve affilié à la vibration, au thème de la menace. De plus, son image précède immédiatement, dans l'espace du rétroviseur, l'apparition de la Buick noire avant l'attentat. Cette contiguïté constitue ainsi un quatrième facteur de rapprochement.

*Le Maintien de l'Ordre* s'épanouit au cours de ses premières pages dans l'espace même de l'écriture. Par les relations originellement scripturales qu'elle établit entre les divers objets, la description invente son monde, son histoire, selon une cohérence toujours plus accomplie. Nous qualifierons volontiers de scripturale cette pure angoisse que rien, aucun événement antérieur au roman, ne justifie, sinon l'acte aventureux d'écrire, une fois tracé le premier mot.

## II. UNE ANGOISSE QUOTIDIENNE

*A) Une création banalisée.*

Peu à peu cependant, comme si l'auteur, pris de vertige devant cette œuvre qui à travers lui s'invente, renonçait le pouvoir créateur de son écriture, le texte se transforme. Ici et là dans la première fraction, plus fréquemment dans la seconde, régulièrement ensuite, font irruption des éléments étrangers au pur processus de création.

Engendrés par les mécanismes créateurs de l'écriture, les objets, événements, émotions de l'univers scriptural (la serrure, la montée dans l'escalier, l'accident, l'angoisse...) malgré la foncière différence qui les sépare du monde quotidien, sont parfaitement intelligibles *à la lecture*. Leur intelligibilité est littéraire. Aussi n'est-ce pas sans stupeur que nous lisons à la page 120 :

> La lettre reste à écrire, à rédiger le résumé *intelligible* de ces trois dernières journées...

Le désir d'une nouvelle intelligibilité, qui renie l'autre et le développement créateur lui-même, nous assure que l'auteur veut passer de l'univers littéraire au monde quotidien, de la création au témoignage. Voici, en toute clarté, l'aveu de ce changement d'attitude :

> Mais n'est-il pas à craindre que son destinataire, victime d'une ou plusieurs erreurs d'optique, n'en mesure pas la *portée exacte* ? N'est-ce pas d'emblée en fausser la *teneur* que de le restreindre à l'épisode actuel, de ne le point faire précéder d'un bref *historique* ? Mais alors, jusqu'où remonter dans l'enchaînement des faits ? Aux troubles du mois dernier, au climat nouveau qui règne depuis l'instauration du couvre-feu, ou carrément depuis le début des événements ? Et même alors... Ne faudrait-il pas remonter au tout début de l'entreprise, à l'époque où les premiers rouages de l'engrenage ont été mis en place ? Sans aller jusque-là, il doit être possible de dresser *un tableau clair et précis de l'évolution récente*, et en est-il de plus frappant que la carte même de la cité, surchargée de repères notés au jour le jour depuis des mois ? Est-il *exposé plus éloquent* que ce canevas de croix multicolores se dessinant peu à peu sur le grand rectangle mauve, se développant en guirlandes à l'annonce des désordres et de leur répression ?
>
> Chaque soir, quand les allées et venues sont terminées, le commandant s'assied à son bureau, rédige son rapport, puis se lève, un jeu de crayons de couleur à la main, se tourne vers la carte murale et trace ici une petite croix bleue... (p. 120-121).

La création se trouve ainsi banalisée. Il ne s'agit plus d'obtenir un ensemble cohérent d'objets et d'événements, une angoisse fonctionnant dans et par l'accomplissement d'une écriture, mais de replacer cette angoisse, ces événements, ces objets dans l'espace quotidien justiciable de rassurantes explications. L'univers scriptural déjà élaboré ne constitue plus un monde autonome, spécifique, se suffisant à lui-même, on prétend le réduire à un monde quotidien. De toutes parts le voici *débordé* : " Ne faudrait-il pas remonter... "

La description se trouve en quelque sorte retournée. Elle *engendrait* les objets, les correspondances, l'angoisse. Elle perd progressivement ses pouvoirs. Elle se réduit, comme chez Balzac, à la pure et simple *illustration* d'un sens préalable (c'est le cas, aussitôt, de la scène de la carte murale dont nous citons l'amorce : " *Est-il exposé plus éloquent...* "). La substance de l'aventure (que l'on pouvait abstraire de l'écriture, non parce qu'elle était particulièrement complexe, mais parce qu'elle était essentiellement le cheminement même de l'écriture) se trouve, à présent, entièrement élaborée avant l'acte d'écrire, et peut ainsi, sans que l'essentiel en soit perdu, facilement se résumer. Le héros, honnête fonctionnaire de l'administration coloniale, a été le témoin inattendu d'une scène de torture. Scandalisé, il a menacé d'ébruiter l'affaire : deux individus sont chargés de l'intimider...

B) *Une trahison réciproque.*

Considéré dans l'ensemble de son développement, *le Maintien de l'Ordre* se présente ainsi comme la lutte de deux courants exclusifs. L'angoisse du héros est cette impossible cohabitation d'une angoisse scripturale, dont la genèse est l'effet de l'écriture elle-même, et d'une angoisse quotidienne dont la raison se trouve dans les événements antérieurs à l'écriture et qu'on nous avait cachés. Les péripéties de ces oppositions connaissent trois périodes distinctes.

Au début du livre, le courant scriptural l'emporte sur le courant quotidien. Les éléments quotidiens, par retours en arrière que l'imparfait accuse, projettent dans l'univers en train de se composer des fragments d'une réalité déjà constituée avant le commencement même de l'écriture. Ces passages explicatifs sont d'autant plus gênants que ce monde quotidien, antérieur, nous est livré avec parcimonie, caché plutôt, à la manière de nombreux romans policiers.

Vers le milieu du roman, les deux courants s'équilibrent. La lecture est victime d'une incessante instabilité; elle passe d'un monde à l'autre, et elle passe elle-même de la lecture littéraire à la lecture d'information, ne parvenant à se fixer ni sur l'un ni sur l'autre. Les fragments de chaque courant figurent ainsi l'un pour l'autre d'intempestives digressions. Mais un curieux phénomène commence déjà à se manifester.

Le courant quotidien enfin l'emporte. Les éléments scripturaux qui subsistent cessent peu à peu d'être des intrusions dans le discours principal. Celui-ci les retourne. Ce changement de signe affecte même, rétrospectivement, tous les éléments scripturaux du livre. Objets, événements, correspondances, deviennent l'illustration d'une situation prédéterminée. Les soupçons se portant sur Saïd pour la raison bien simple, nous l'apprenons vers la fin, que Saïd avait *auparavant* accompagné le narrateur jusqu'à la villa des tortionnaires. C'est parce qu'il le soupçonnait déjà, avant même qu'une seule ligne ne soit écrite, que le narrateur observait si attentivement ses faits et gestes, et allait jusqu'à le surveiller dans son rétroviseur. C'est parce qu'il avait d'excellentes raisons de se croire en danger (l'attentat à la mitraillette n'est rien d'autre, sans doute, que l'évocation de la mort de Lemaigre-Dubreuilh) qu'il attache une telle attention aux moindres claquements, qu'il est si impressionné par l'irruption dans sa chambre de la lumière du phare.

Puisque nous voici projetés dans le monde quotidien, où les faits sont les faits, où en parler c'est en témoigner, qu'on nous permette cette remarque : le témoignage n'a pu s'accomplir qu'en effaçant la création littéraire. Ce roman engagé a le bien grand mérite de nous rappeler cette évidence que *témoigner* c'est le contraire même de *créer*. Vouloir mêler la création au témoignage revient à admettre leur trahison réciproque.

# III

# LA MÉTAPHORE, AUJOURD'HUI

# EXPRESSION ET FONCTIONNEMENT

> *Elles ne reçoivent leur intelligibilité que de leur mutuel rapport, contenant, épars en elle-même, le principe de leur interprétation.* (Origène.)

## I. LE DOGME DE L'EXPRESSION

Pour peu qu'on accepte logiquement les implications qu'elles déterminent, les actuelles recherches romanesques nous incitent à nommer, à définir, à localiser, puis à récuser comme stérile une opinion sur laquelle se sont édifiées, respectivement antagonistes, maintes théories littéraires.

Ce credo périmé on pourrait l'appeler, je crois, *dogme de l'expression.*

Relève à mon sens de tel parti toute disposition d'esprit qui, s'agissant de littérature, se contente de considérer un bref segment de texte, abstraction faite de l'œuvre qui le comprend.

Telle conception est fréquente. Nous la·rencontrons même, non sans surprise, sous des plumes très averties. Empruntant ici l'experte terminologie paulhanienne, il me semble permis d'assurer que l'espace du dogme de l'expression se partage en deux camps opposés par symétrie : d'une part les *rhétoriques*, de l'autre les *terrorismes*. Entre lesquels on peut se demander s'il n'y a pas lieu d'apercevoir, eux-mêmes, les lucides paradoxes de Jean Paulhan.

### A) Les rhétoriques.

Dans leur ensemble, les rhétoriques reposent sur une euphorie de l'expression. Toute figure de mots, par exemple, y manifeste

une pléthore expressive qui s'ordonne, autour de deux axes per-
pendiculaires. Sur le premier axe, que j'intitulerai axe de *l'expression
locale*, s'établit le simple rapport de l'expression à la chose exprimée.
Dans un chapitre de *Figures*, Gérard Genette a fortement montré
combien les Traités de Rhétoriques se plaisent à faire correspondre
aux figures de mots leur possible traduction en langage commun.
Domairon, par exemple, remarque-t-il, traduit le vers de La Fon-
taine :

> Sur les ailes du temps, la tristesse s'envole

par :

> Le chagrin ne dure pas toujours.

Cette volonté de traduire suppose deux implications.

*a*) Telle traduction n'est possible que si toute figure est entendue
comme certaine expression choisie d'une pensée préalable dont
on peut imaginer, à chaque fois, la présentation en langage plus
simple.

*b*) Elle n'est encore possible que si nulle perturbation extérieure
ne vient, d'une façon ou d'une autre, altérer le rapport de l'expression à la chose exprimée. C'est sur la foi en l'inaltérabilité de ce
rapport que s'appuie toute étude des figures de mots considérées
en soi et comme *in vitro* — et que repose, probablement, la bonne
conscience des rhétoriques.

Le second axe expressif pourrait se nommer *axe du surcroît*.
Revenons au précédent exemple. L'écart entre la figure de mots
et sa traduction la plus simple, dans la mesure où il manifeste une
lisible élégance, prend une valeur supplémentaire. Il indique qu'il
s'agit de *poésie*. Il est l'insigne de la *littérature*.

Cet espace (Gérard Genette l'a également noté) peut, chez divers
théoriciens, se colorer d'affectivité. Parlant de la *répétition*, Bernard
Lamy remarque combien l'homme passionné aime à se répéter,
l'homme en colère à porter plusieurs coups. La répétition donc,
outre ce qu'elle répète, signifie de plus, sur l'axe du surcroît,
que l'interlocuteur subit l'influence d'une passion. La figure envoie
ici à une autre référence abstraite : certaine psychologie cartésienne.

Il est donc à présent permis de le constater : entre l'axe de l'expression locale et l'axe général du surcroît, les rhétoriques ne laissent
pas trop de place aux concrètes influences d'un *contexte*. C'est

que, à la limite, toutes *particularités* d'une prose contesteraient, en leur principe, les règles *générales* que rassemblent les traités des rhétoriqueurs.

### B) *Le terrorisme.*

Le bonheur rhétorique, nous le savons, n'a pas été éternel. L'on est un jour passé des *façons de parler* à la *parole*; du Racine que cite Genette :

> Je ne pense pas mieux que Pradon et Coras, mais j'écris mieux qu'eux,

à l'Hugo que cite Paulhan :

> Pas de beaux vers.

Bref, les classiques l'ont cédé aux romantismes; l'âge des techniques a été remplacé par l'ère de la *sincérité*.

Les singularités de cette révolution ne sont pas sans instruire. Dans la perspective d'une spontanéité qui exige de se manifester telle quelle, en son pur jaillissement, l'axe euphorique du surcroît se retourne et devient un axe *maudit*.

En effet, si, d'une certaine façon, toute figure de mots, outre ce qu'elle exprime, signifie marginalement poésie ou littérature, il est impossible, par leur usage, d'échapper à la littérature ou à la poésie. La sincérité se fige en formules rhétoriques qui l'aliènent. Le désir d'une expression locale, spontanée, immédiate, est condamnée à l'utopie par une irrécusable malédiction.

Retourné, l'axe du surcroît se métamorphose en vecteur de contestation. L'expression générale oblitère l'expression locale. Cette nouvelle attitude ne rejette donc nullement le schéma rhétorique. Elle se contente en quelque manière de le basculer; elle est une rhétorique *malheureuse*.

Et même, sans doute, une rhétorique *malade* : l'écrivain imagine que l'insouciante littérature classique lui a volé la possibilité de s'exprimer, qu'elle a jeté un sort sur le langage.

C'est telle rhétorique maudite que Jean Paulhan intitule *terrorisme*. En effet, l'introduction, dans le champ du langage, de l'idée d'expression vive, pure de toute rhétorique, fait surgir la notion contraire, péjorative, du *cliché*. Le cliché, à l'inverse, définit donc les figures de mots où le poids de la rhétorique est tel qu'il discrédite toute possibilité d'expression locale. Dès lors, la Terreur s'installe dans les lettres. Aux prescriptions rhétoriques succèdent les proscriptions terroristes. Au nom de l'originalité romantique continûment renaissante, la chasse aux clichés est ouverte — puis, sous ce couvert, à des régions entières du langage, la guerre est déclarée.

On aperçoit facilement quels peuvent être les mécanismes théoriques de cette suspicion généralisée. A la perpétuelle invention expressive correspond l'idée que toute expression déjà utilisée est usée. Un second usage ferait référence au premier, l'instituerait en quelque façon comme modèle, réintroduirait la technique, et, de là, signifierait rhétorique. Pour le terrorisme, à la limite, la littérature procède par *dévoration* ; elle est ce monstre qui détruit le langage à mesure qu'il le consomme. L'on n'a pas oublié le savoureux exergue des *Fleurs de Tarbes*, cet extrait des voyages de Botzarro :

> Comme j'allais répéter les mots que m'apprenait cette aimable indigène :
> Arrêtez ! s'écria-t-elle, chacun ne peut servir qu'une fois...

La distance qui sépare l'euphorie rhétorique des excessifs malheurs du terrorisme ne doit pas effacer, cependant, la pérennité sous-jacente du fondement idéologique. Non moins que les rhétoriques dont ils sont l'image retournée, les terrorismes se reconnaissent à ce que leur système exclut tout recours aux concrètes influences d'un contexte.

C'est à ce très simple indice, croyons-nous, que devrait s'intéresser toute enquête appliquée à dépister les terrorismes, aujourd'hui.

Cette recherche serait loin d'être inutile : si l'idéologie rhétorique reste tout à fait minoritaire, les prolongements romantiques, à l'inverse, présents actuellement en des lieux inattendus, freinent de toute leur inertie la seconde révolution du langage qui a commencé de s'accomplir. En cette optique, et pour choisir nos exemples parmi les écrivains qui importent, nous nous proposons d'observer succinctement le schéma selon lequel le théoricien André Breton refuse la description au nom de la métaphore, puis comment au contraire, Alain Robbe-Grillet, et ses théories, récuse la métaphore, au nom de la description.

*C*) *André Breton, le terroriste.*

Lorsqu'en les pages initiales du *Premier Manifeste*, André Breton conteste Dostoïewsky (mais il faudrait être attentif aussi, sans doute, au mépris qu'il professe non moins pour Edgar Poe et Joyce), c'est selon trois lisibles procédés.

*a*) Choix d'une brève description extraite de *Crime et Châtiment* :

> La petite pièce dans laquelle le jeune homme fut introduit était tapissée de papier jaune : il y avait des géraniums et des rideaux de mousseline aux fenêtres; le soleil couchant jetait sur tout cela une lumière crue... La chambre ne renfermait rien de particulier. Les meubles en bois jaune, étaient tous très vieux. Un divan avec un grand dossier renversé, une table de forme ovale vis-à-vis du divan, une toilette et une glace adossées au trumeau, des chaises le long des murs, deux ou trois gravures qui représentaient des demoiselles allemandes avec des oiseaux dans les mains, — voilà à quoi se réduisait l'ameublement.

*b*) Refus de lier cet étroit fragment à un contexte :

> On soutiendra que ce dessin d'école vient à sa place, et qu'à cet endroit du livre l'auteur a ses raisons pour m'accabler. Il n'en perd pas moins son temps, car je n'entre pas dans sa chambre.

(Lorsque Michel Butor discute Breton dans son étude *le Roman et la Poésie* dans *Répertoire II*, il ne manque naturellement pas, au contraire, d'établir des relations avec d'autres textes. Et ainsi apparaît, en ce fragment, l'importance des géraniums.)

*c*) Rejet, au nom d'une métaphysique, des implications de la forme d'écriture incriminée.

> Que l'esprit se propose, même passagèrement, de tels motifs, je ne suis pas d'humeur à l'admettre.

*D*) *Le terrorisme théorique de Robbe-Grillet.*

Si Robbe-Grillet, dans le chapitre *Nature, Humanisme, Tragédie*, de *Pour un Nouveau Roman* refuse la métaphore, ce n'est pas sans que le schéma de sa récusation ne s'apparente singulièrement, par ses trois étapes, à celui d'André Breton.

*a*) Choix de métaphores isolées :

> Dire que le temps est " capricieux " ou la montagne " majes-
> tueuse ", parler du " cœur " de la forêt, d'un soleil "impitoyable ",
> d'un village " blotti " au creux du vallon...

*b*) Refus de les inclure dans un contexte concret où leur observation pourrait s'effectuer *in vivo* :

> La métaphore, en effet, n'est *jamais* une figure innocente.

*c*) Rejet, au nom d'une métaphysique, des implications de la
forme d'écriture incriminée :

> Dans la quasi-totalité de notre littérature contemporaine,
> ces analogies anthropomorphistes se répètent avec trop d'insis-
> tance, trop de cohérence, pour ne pas révéler tout un système
> métaphysique.

En leur opposition, les deux théoriciens se trouvent donc
accordés par une similitude indubitable. Notons bien, cependant,
que telle symétrie n'atteint pas les œuvres. Si les textes poétiques
de Breton ne contredisent pas, au fond, son terrorisme, les romans
de Robbe-Grillet, au contraire, sont assez loin de correspondre
au terrorisme de la théorie. C'est pourquoi nous ne serons pas
trop surpris de retrouver l'œuvre romanesque de Robbe-Grillet,
tout à l'heure, en des régions plus avancées de la présente exposi-
tion.

### E) *La méthode de Jean Paulhan.*

Mais peut-être n'est-il pas inutile d'observer maintenant la
méthode choisie par l'auteur même qui a si exactement déterminé
le couple rhétorique-terrorisme. Lorsque Jean Paulhan délimite
l'espace de ses investigations, il obéit, semble-t-il, aux deux procédés suivants :

*a*) Choix de très brefs passages. Ainsi, à la page 92 des *Fleurs
de Tarbes* :

> Paul Bourget écrit : Quoiqu'il n'eût jamais mené *qu'une existence
> très frivole d'homme à la mode*, il avait *respiré* dans l'air de la
> lagune *le goût des belles choses... Envahi par le charme émané*

de ces toiles, il s'extasia devant une telle *profusion de chefs-d'œuvre.*
*La langueur mystérieuse...*

Francis Carco : " *L'habitude commandait* chacun de ses gestes...
*Du fond d'elle-même s'élevait* une âpre et délicieuse sensation.

*b*) Refus de les inclure dans un ample texte : Commentant à
la page 93, les auteurs cités, il interroge directement :

> Un poète observe que le ciel est étoilé, le dit tout innocemment,
> et trouve plaisir à le dire. Pourquoi Bourget n'aurait-il pas inventé,
> pour son compte, la *langueur-mystérieuse,* Carco à lui tout seul
> *l'habitude-qui-commande* ?

Tel rejet du contexte situe donc Jean Paulhan en l'espace des
terrorismes et des rhétoriques. L'on distingue aisément quelle
sorte de prédilection suffira désormais pour l'incliner d'un côté
ou de l'autre. Proscrira-t-il qu'il sera terroriste; prescrit-il et le
voici rhétoriqueur. Nous lisons page 148 :

> Les clichés pourront retrouver droit de cité dans les Lettres,
> du jour où ils seront enfin privés de leur ambiguïté, de leur confu-
> sion. Or, il devrait y suffire, puisque la confusion vient d'un
> doute sur leur nature, de simplement *convenir,* une fois pour
> toutes, qu'on les tiendra pour clichés. (...) Il y faudra, tout au
> plus, quelques listes; et pour commencer, un peu de bonne
> volonté, une simple décision.

Sans doute cette rhétorique est-elle particulière, et comme au
second degré : l'on ne traverse pas impunément l'espace des romantismes. Telle Maintenance provient du rejet du Terrorisme ou,
si l'on préfère, elle est issue, non sans paradoxe, de la proscription
d'une proscription. Tandis que la Rhétorique classique allait de
soi, la Maintenance paulhanienne s'accomplit en connaissance
de cause; elle se plaît à tirer, avec bon sens, la leçon du romantisme.
Puisque rien comme le désir romantique de sincérité ne conduit
à s'empêtrer dans un langage adverse, pourquoi ne pas convenir
de certaines règles par lesquelles l'expression se ferait de nouveau
sans douleur ?

Ce recours à la bonne volonté ne semble pas, jusqu'à présent
avoir disposé d'un pouvoir de conviction très efficace. Convient-il
d'en chercher la raison dans une régression à l'infini : il faut la

bonne volonté, déjà, d'avoir de la bonne volonté. Ou se demander plutôt si le terrorisme ne comporte pas une leçon tout autre — que l'on commencerait à tirer çà et là.

### E) *Troisième axe : le texte.*

Un humoriste proposait l'autre jour l'image de deux dessinateurs occupés à reproduire un cylindre. Le choix de leur place y est tel que l'un trace le simple cercle de base, tandis que l'autre représente, sous forme de rectangle, ce qui, de la convexe hauteur, lui apparaît seulement. L'on constate qu'il s'agit, en quelque façon, de la graphie du paradoxe —, et qu'elle nous incite à ne point trop oublier que se trouve sans doute génératrice de paradoxes, toute projection d'un monde à $n$ dimensions dans un espace à $n - 1$ dimensions.

Que pour un instant l'on imagine la métamorphose de ce cylindre en livre, et peut-être faudra-t-il sitôt apercevoir, remplaçant les contradictoires dessinateurs, le rhétoriqueur et le terroriste, appliqués chacun, pour obtenir des expressions isolées, à l'abolition de ce volume : le texte concret.

C'est en effet le lieu de souscrire à la remarque de Jean Paulhan selon laquelle les œuvres des rhétoriqueurs et celles des terroristes ne sont au fond pas très différentes —, moins distinctes, en tout cas que les respectives théories l'eussent laissé croire. N'est-ce point que, parlant de leurs œuvres, classiques et romantiques se trompent également —, ou suivant une hypothèse paulhanienne, s'efforcent également de nous tromper ? Si donc je cherche une raison susceptible d'expliquer d'une part la proximité, malgré les théories, des œuvres rhétoriques et terroristes, et d'autre part, le défaut commun des deux théories vis-à-vis des œuvres correspondantes, seule s'impose celle-ci : lorsqu'ils écrivent, les auteurs élaborent un *texte*, tandis que, s'ils parlent de leur art, ils se bornent le plus souvent à évoquer tout autre chose : au mieux de brefs fragments expressifs, et, quelquefois, une plate métaphysique.

Sans doute serait-il séduisant, ici, de renvoyer dos à dos les adversaires symétriques — séduisant et stérile. L'on a vu que Jean Paulhan a justement préféré extraire une leçon : les Maintenances ou Rhétoriques en connaissance de cause. Nous serions plutôt tentés, en certaine région des Lettres, aujourd'hui, me semble-t-il, de choisir comme la conséquence contraire. Celle-ci, évitant de faire du terrorisme une manière d'illusion perverse, le lirait plutôt comme l'un des nécessaires paragraphes par lesquels s'est accomplie la mise à jour d'une lumière séculairement occultée.

Que nous aurait donc appris le retournement terroriste de l'axe du surcroît en vecteur de contestation, sinon que, sauf erreur sincère ou feinte, il n'est point de rapport innocent entre l'expression et la chose exprimée ; sinon que, puisque tel rapport est constitutivement perturbé par un alentour, toute volonté d'expression directe relève du contresens ? Or, tandis que les théoriciens s'acharnent sur des segments isolés, l'on a vu les écrivains entièrement appliqués à l'activité inverse : produire au voisinage de chaque expression un alentour particulièrement dense, actif, organisé, le texte, précisément.

Composer un texte, donc, c'est non pas refuser le phénomène de contestation de toute expression par un entourage, mais s'y appuyer au contraire, et proposer un alentour tel que les perturbations réciproques de l'expression et du contexte atteignent un optimum d'ampleur. Ou, si l'on préfère, créer, c'est différer continûment l'expression, c'est le contraire d'exprimer.

Toute œuvre, peut-être, à sa façon, repose sur tel principe. Voilà ce que, comme par prudence, les théories (les rhétoriques avec un sourire exagéré, les terrorismes avec une excessive angoisse) paraissent en leur temps avoir tenu à dissimuler. Voilà au contraire ce que l'écriture, appliquée peut-être à quelque nouvelle occultation, manifeste aujourd'hui, chaque œuvre aspirant toujours plus lisiblement à constituer un organisme de langage en *fonctionnement*. C'est ce fonctionnement que je voudrais m'efforcer de saisir à présent.


## II. ASPECTS DU FONCTIONNEMENT


Puisque c'est de texte qu'il s'agit, la plus convenable méthode reviendrait probablement à observer dans le détail une œuvre précise. Mais il y faudrait plus d'espace, et une tout autre perspicacité. Nous avons donc préféré distinguer quelques-unes des étapes par lesquelles une figure d'expression se métamorphose en charnière de fonctionnement.

Choisissant la métaphore, nous essaierons donc de montrer comment cette figure, sitôt devenue indubitablement, systématiquement, un élément structurel, le texte n'admet plus qu'une élaboration (et une lecture) épousant un fonctionnement spécifique.

Espérant un exemple aisément identifiable, mon analyse se limitera à montrer comment peuvent réciproquement se perturber la métaphore et la temporalité de la fiction.

Qu'on nous permette, à propos de la métaphore et du désordre temporel, de résorber quelques incertitudes préalables. Seront ici appelées métaphores toutes figures construites sur trois éléments : le comparé, le comparant, le point commun autorisant (ou issu) de la comparaison, c'est-à-dire les métaphores, les comparaisons, les sens figurés. Il convient donc d'observer que la métaphore est toujours en quelque façon un *exotisme*, assemblant un *ici* (le comparé) à un *ailleurs* (le comparant). Utiliser la métaphore comme figure d'expression, revient à subordonner étroitement l'*ailleurs* à l'*ici*; le comparant n'étant plus que cet ectoplasme provisoire qui s'estompe sitôt le comparé manifesté, sitôt accomplie la traduction rhétorique.

Nous n'accueillerons nullement, en outre, parmi les troubles temporels, ces récits dans le récit où la distinction des temps se voit clairement définie. Feront seules l'objet de nos mesures, les abruptes juxtapositions d'un présent à un présent différent de celui qui, par nature, le prolongerait — c'est-à-dire, en quelque manière, les voyages dans le temps.

Si le roman de Wells pratique à l'évidence le rapprochement de deux présents fantastiquement éloignés, *la Machine à explorer le Temps* ne relève par elle-même, que d'une gratuité irrécusable. Aucune nécessité n'accorde les barreaux de nickel ou la goutte d'huile sur la tringle de quartz, avec l'exploration singulière. Si les détails mécaniques assemblés par Wells importunent, si, à ce niveau du moins, la machine ne fonctionne pas, c'est que le transfert temporel n'est aucunement inscrit dans le fonctionnement du texte.

*A*) *Proust et l'agression temporelle.*

Que par contre la lecture de *A la Recherche du Temps Perdu*
s'exempte d'un psychologisme facile et le texte de Proust se révèle
peuplé de phénomènes qu'il faut bien intituler des agressions
temporelles. Comment ignorer en effet la brutalité essentielle
par laquelle, dans la page suivante du *Temps retrouvé,* un passé
devenu soudain présent lutte avec le présent actuel ?

> Dans ce cas-là comme dans tous les précédents, la sensation
> commune avait cherché *à recréer* autour d'elle le lieu ancien,
> cependant que le lieu actuel qui en tenait la place s'opposait
> de toute la *résistance* de sa masse, à cette *immigration* dans un
> hôtel de Paris d'une plage normande ou d'un talus d'une voie
> de chemin de fer. La salle à manger marine de Balbec, avec son
> linge damassé préparé comme des nappes d'autel pour recevoir
> le coucher du soleil, avait cherché à ébranler la solidité de l'hôtel
> de Guermantes, à en *forcer* les portes et avait fait *vaciller* un instant
> les canapés autour de moi (...)
> Et si le lieu actuel n'avait pas été aussitôt *vainqueur,* je crois que
> j'aurais perdu connaissance; car ces *résurrections* du passé dans
> la seconde qu'elles durent sont si totales qu'elles n'obligent pas seule-
> ment nos *yeux* à cesser de voir la chambre qui est près d'eux pour
> regarder la voie bordée d'arbres ou la marée montante; elles
> *forcent* nos *narines* à respirer l'air de lieux pourtant lointains,
> notre *volonté* à choisir entre les divers projets qu'ils nous pro-
> posent, notre *personne* tout entière à se croire entourée par eux...

Qui chercherait le véhicule susceptible d'accomplir le transport
d'un présent à un autre peut se reporter au début de la citation.
Proust l'y définit sans détour : c'est la *sensation commune* entre
les deux moments. Se propose donc à nous, en l'occurrence, le
schéma triangulaire de la métaphore même : deux termes qu'une
ressemblance accorde.

Comme toute machine à explorer le temps, si elle en est bien
une, la métaphore proustienne doit accéder à l'intemporalité. C'est
ce que Proust remarque un peu plus loin :

> ... en rapprochant une qualité commune à deux sensations, il
> dégagera leur essence commune en les réunissant l'une et l'autre
> *pour les soustraire aux contingences du temps, dans une métaphore.*

Observons un peu mieux, cependant la métaphore véhiculaire
Le triptyque comparé, point commun, comparant, y subit une radicale métamorphose, en ceci que la *comparaison s'abolit au profit du
passage*. L'ailleurs n'est plus ce fantôme léger, translucide, qui
voltigeait un instant autour de l'*ici* pour le définir avec élégance ; il
se propose immédiatement, lui-même, comme un autre *ici* :
l'*expression* le cède au *voyage*.

On passe donc d'un *ici* à un autre : la métaphore a été prise à
la lettre, ou encore, on a pratiqué ce qu'il faudrait nommer, probablement, une *littéralité* de la figure. La *métaphore expressive* se
transforme ainsi en *métaphore structurelle* par laquelle un texte se
construit et, spécifiquement, fonctionne. Apparaît donc alors, en
quelque façon, un fantastique nouveau, le *fantastique de l'écriture*.

Un propos si excessif doit naturellement susciter un assez vif
désir de controverses. Sans s'attarder aux détails, il me semble
préférable d'imaginer le principe même des objections possibles :
détruire tel fantastique, à chaque fois, par une plausible explication. Ici, de toute évidence, l'on aurait recours à la psychologie.
L'on me ferait remarquer, en somme, que Proust se borne à définir,
puis *copier* l'un des mécanismes par lesquels, en la mémoire, les
souvenirs sont appelés. A l'appui, on m'inviterait à relire la citation
que Proust fait de Chateaubriand :

> N'est-ce pas à une sensation du genre de celle de la madeleine
> qu'est suspendue la plus belle partie des *Mémoires d'Outre-Tombe*.
> " Hier au soir je me promenais seul... Je fus tiré de mes réflexions
> par le gazouillement d'une grive perchée sur la plus haute branche
> d'un bouleau. A l'instant, ce son magique fit reparaître à mes yeux
> le domaine paternel ; j'oubliais les catastrophes dont je venais
> d'être le témoin, et transporté subitement dans le passé, je revis
> ces campagnes où j'entendis si souvent siffler la grive... "

Soit. Ce ne serait pas la première fois que, par prudence, un
écrivain voilerait les caractéristiques de son œuvre : c'est ce que
tentent, nous l'avons supposé, rhétoriques et terrorismes.

Mais si, pour éviter une trop longue dispute éventuelle, Proust
est ici abandonné, c'est Edgar Poe qui surgit :

*B) Le véhicule de M. Auguste Bedloe.*

L'on se souvient qu'en la dixième histoire extraordinaire, au

cours d'une promenade dans les montagnes, *par un jour sombre,
chaud et brumeux, vers la fin de novembre, et durant l'étrange interrègne
des saisons que nous appelons en Amérique l'été indien,* M. Auguste
Bedloe se trouve transporté dans la région de Bénarès quelque
quarante ans plus tôt. Observons donc quelques extraits de ce
récit :

> L'épais et singulier brouillard ou fumée qui distingue l'été
> indien, et qui s'étendait alors pesamment sur tous les objets,
> approfondissait sans doute les impressions vagues que ces objets
> créaient en moi. Cette brume poétique était si dense, que je ne
> pouvais jamais voir au-delà d'une douzaine de yards sur ma route.
> Ce chemin était excessivement sinueux, et comme il était impos-
> sible de voir le soleil, j'avais perdu toute idée de la direction
> dans laquelle je marchais. (...)
>
> Tout occupé par ces rêveries, je marchai plusieurs heures
> durant lesquelles le brouillard s'épaissit autour de moi à un degré
> tel, que je fus réduis à chercher mon chemin à tâtons. (...)
>
> Tout à coup mon attention fut arrêtée par un fort battement
> de tambour.
>
> Ma stupéfaction, naturellement, fut extrême. Un tambour
> dans ces montagnes était chose inconnue. (...) J'entendis s'appro-
> cher un bruissement sauvage, un cliquetis, comme d'un trousseau
> de grosses clés, — et à l'instant même un homme à moitié nu, au
> visage basané, passa devant moi en poussant un cri aigu. (...)
>
> A peine avait-il disparu dans le brouillard, que haletante der-
> rière lui, la gueule ouverte et les yeux étincelants, s'élança une
> énorme bête. (...)
>
> A la longue, tout à fait épuisé par l'exercice et par la lourdeur
> oppressive de l'atmosphère, je m'assis sous un arbre. En ce moment
> parut un faible rayon de soleil, et l'ombre des feuilles de l'arbre
> tomba sur le gazon, légèrement mais suffisamment définie.
> Pendant quelques minutes, je fixai cette ombre avec étonnement.
> Sa forme me comblait de stupeur. Je levai les yeux, l'arbre était
> un palmier. (...)
>
> La chaleur devint tout d'un coup intolérable. (...)
>
> Un fort et bref coup de vent enleva, comme une baguette de
> magicien, le brouillard qui chargeait la terre.
>
> Je me trouvai au pied d'une haute montagne dominant une
> vaste plaine, à travers laquelle coulait une majestueuse rivière.
> Au bord de cette rivière s'élevait une ville d'aspect oriental. (...)

Je me levai (...) et descendis dans la cité. Sur ma route, je tombai au milieu d'une immense populace qui encombrait chaque avenue, se dirigeant toute dans le même sens, et montrant dans son action la plus violente animation. Très soudainement, et sous je ne sais quelle pression, inconcevable, je me sentis profondément pénétré d'un intérêt personnel dans ce qui allait arriver. (...) Je m'arrachai du milieu de cette cohue, et rapidement, par un chemin circulaire, j'arrivai à la ville, et y entrai. Elle était en proie au tumulte et à la plus violente discorde. Un petit détachement d'hommes ajustés moitié à l'indienne, moitié à l'européenne, et commandé par des gentlemen qui portaient un uniforme en partie anglais, soutenait un combat très inégal contre la populace fourmillante des avenues. Je rejoignis cette faible troupe, je me saisis des armes d'un officier tué, et je frappai au hasard avec la férocité nerveuse du désespoir. (...)

La populace se pressait impétueusement sur nous, nous harcelait avec ses lances, et nous accablait de ses volées de flèches. Ces dernières étaient remarquables et ressemblaient en quelque sorte au kriss tortillé des Malais; — imitant le mouvement d'un serpent qui rampe — longues et noires, avec une pointe empoisonnée : l'une d'elle me frappa à la tempe droite. Je pirouettai, je tombai. Un mal instantané et terrible s'empara de moi. Je m'agitai, — je m'efforçai de respirer, — je mourus.

Ce récit de M. Bedloe au docteur Templeton son ami, se poursuit alors, notamment, par un retour immatériel au point de départ, en la montagne américaine, où s'accomplit une manière de réincarnation.

Si nous essayons à présent de localiser les raisons du passage des Montagnes Déchirées à la ville de Bénarès, se révèle aussitôt comme indubitable l'importance de l'été indien, cette étrange saison que Poe nomme deux fois. Son brouillard caractéristique permet d'éviter la difficulté technique de la substitution d'un lieu à un autre. Les éclaircies de la brume et le coup de vent révélateur accordent au problème de l'écran une solution point trop éloignée de celles que proposent Borges avec le mur et la porte du *Sorcier ajourné*, ou Lovecraft avec les trouées des frondaisons dans *la Clef d'Argent*.

Mais surtout, l'expression figurée *été indien* est entendue comme un sens propre : *l'été aux Indes*. C'est encore la littéralité d'une figure qui autorise le voyage d'un *ici* à un autre. Le texte entier s'ordonne selon une métaphore structurelle, ou encore : il tend à fonctionner selon de spécifiques lois.

Quelques preuves supplémentaires seront exigées, sans doute, par les partisans de l'Expression. Nous ne les chercherons pas hors du texte de Poe. *L'été indien* structure la prose selon ce qu'il faudrait appeler une *symétrie métaphorique.* L'on se souvient qu'Auguste Bedloe meurt des suites d'un rhume contracté au cours de son excursion, une sangsue venimeuse, par erreur, lui ayant été appliquée à la tempe. Or, on apprend que cette sangsue se caractérise *par sa noirceur, et spécialement par ses tortillements aux mouvements vermiculaires, qui ressemblent beaucoup à ceux d'un serpent* — et qu'elle s'apparente expressément, donc, à la flèche en forme de kriss.

Autre exemple : après la narration de Bedloe, le docteur Templeton précise qu'on vient d'entendre le récit même de la mort d'un de ses amis M. Oldeb, il y a quarante ans, pendant les troubles de Bénarès, et que c'est la ressemblance de Bedloe avec le disparu qui l'avait incité à lier connaissance. Lorsqu'une coquille du journal annonçant la mort de Bedloe supprime le *e* final, le retournement anagrammatique Bedlo-Oldeb se révèle manifeste —, et les deux noms, par le miroitement qui les accorde, se trouvent donc, eux-mêmes, d'une certaine façon, en état de métaphorique symétrie.

L'on distingue qu'il ne s'agit là que du premier degré du fonctionnement. Considérée sous l'angle de l'inspiration, la dichotomie opérée par *l'été indien* suscite la matière selon un effet de balance : la flèche et la sangsue, Oldeb et Bedloe.

Si l'on souhaite découvrir le second degré du fonctionnement, il faut accéder à une lecture un peu moins superficielle. Qu'on s'interroge par exemple sur la raison de détails tels que :

1) " Je m'arrachai du milieu de cette cohue, et *rapidement par un chemin circulaire,* j'arrivai à la ville et j'y entrai. "

2) " Un petit détachement d'hommes *ajustés moitié à l'indienne, moitié à l'européenne,* et commandés par des gentlemen qui portaient un uniforme *en partie anglais,* soutenaient un combat très inégal contre la populace fourmillante des avenues. *Je rejoignis cette faible troupe...* "

3) " Ce chemin était excessivement *sinueux...* "

4)  " Cette brume *poétique*... "
5)  " Auguste Bedloe... "

et l'on constate que ces notations variées exigent, à l'inverse, sous leur sens propre, d'être lues *figurément*. Le chemin circulaire évoque le déroulement même du voyage de Bedloe; ce cercle spatio-temporel joignant l'Amérique et les Indes. Le détachement d'hommes ajustés moitié à l'indienne, moitié à l'européenne représente Bedloe lui-même, partagé entre les Indes et l'Amérique; et c'est pourquoi, en vérité, Bedloe est attiré par cette petite troupe. Dans la mesure où il allie structurellement les deux morts sinueuses (le kriss et la sangsue), le chemin de la montagne offre lui-même une fondamentale sinuosité. Quant à la brume poétique, elle insiste non sur une délicate indécision romantique, mais sur le pouvoir créateur, au sens rousselien, de l'*été indien* saisi en sa littéralité. C'est à ce même *été*, enfin, que renvoie le prénom de M. Bedloe, Auguste, August... : août.

Si nous résumons tels processus sous l'angle de la métaphore centrale de l'*été indien*, il faut naturellement recourir à une formule du second degré, et affirmer que nous rencontrons ici une *figuration de la littéralité de la figure*. Ou encore que le texte s'inspire de son fonctionnement, et y fait allusion par des images.

Cherchant toujours de plausibles explications, l'opposition expressionniste avancerait sans doute maintenant les éléments hallucinatoires du récit. Elle citerait probablement le goût de Bedloe pour l'opium, et la passion de Templeton pour le magnétisme mesmérien d'une part, et, de l'autre, le nom même du héros, dont les trois premières lettres, en anglais, évoquent le lieu même où s'accomplit le rêve, *bed* : le lit.

Or, pour peu qu'on accepte de le lire plus précisément, le texte se distribue comme si Poe avait prévu telles objections. L'anagramme Oldeb propose, en manière d'antagoniste réponse l'adjectif *old*. Ainsi s'accrédite l'intuition entrevue, déjà, un instant, au début de la prose, d'une exceptionnelle vieillesse du personnage. Quelques plausibilités, enfin, qu'on imagine (mesmérisme ou opium), elles restent constitutivement subordonnées à un fantastique scriptural. L'aventure de M. Bedloe perdu dans les brouillards de l'*été indien*, ne s'est produite, apprend-on en effet, finalement, qu'au moment où le docteur Templeton, chez lui, a commencé à *écrire* la mort de son ami Oldeb, survenue il y a quarante ans, *aux Indes, un été* —, au moment donc où s'est opérée, par l'intermédiaire du docteur, une littéralité de la métaphore. Par un autre chemin, en suivant les objections des expressionnistes, Edgar Poe, non sans une précieuse évidence, nous a reconduits au fonctionnement.

### C) *La Jalousie ou l'abolition du Temps.*

Par le biais des perturbations réciproques du temps et de la métaphore, je me suis donc efforcé de saisir certaine intelligence du texte, ou encore de faire apparaître, sous un angle délimité, le fonctionnement qui l'institue. Comme cette notion risque de sembler encore assez indistincte, je me propose de l'éprouver au contact d'un très épineux problème, celui que pose *la Jalousie* d'Alain Robbe-Grillet.

Je m'en tiendrai naturellement à un niveau élémentaire. Et, d'emblée, puisqu'il s'oppose au cours de cette thèse, j'établirai un rapport entre le véritable éclatement du temps que ce roman radical opère, et le refus de toutes métaphores que son auteur manifeste fortement dans ses écrits théoriques. Mais observons la page 63 :

> Soudain la bête incurve son corps et se met à descendre en biais vers le sol, de toute la vitesse de ses longues pattes, tandis que la serviette en boule s'abat, plus rapide encore.
>
> La main aux doigts effilés s'est crispée sur le manche du couteau; mais les traits du visage n'ont rien perdu de leur fixité. Franck écarte la serviette du mur et, avec son pied achève d'écraser quelque chose sur le carrelage, contre la plinthe.
>
> Un mètre plus haut, environ, la peinture reste marquée d'une forme sombre, un petit arc qui se tord en point d'interrogation s'estompant à demi d'un côté, entouré çà et là de signes plus ténus, d'où A... n'a pas encore détaché son regard.
>
> Le long de la chevelure défaite, la brosse descend avec un bruit léger, qui tient du souffle et du crépitement. A peine arrivée en bas, très vite, elle remonte vers la tête, où elle frappe de toute la surface des poils, avant de glisser derechef sur la masse noire, ovale couleur d'os dont le manche, assez court, disparaît presque entièrement dans la main qui l'enserre avec fermeté.

Puisque la comparaison " arc tordu en point d'interrogation " peut être lue comme une catachrèse (l'ensemble du texte éclaire en vérité ici un phénomène plus complexe), toute la citation se constitue, semble-t-il, à l'aide de purs éléments descriptifs. Il suffit pourtant d'observer comment l'on passe de la scène du mille-pattes écrasé à celle du brossage des cheveux, pour distinguer aussitôt que le transit s'accomplit selon un croisement de trois métaphores structurelles : la tache et la chevelure; le manche du couteau et celui de la brosse; la serviette qui s'abat et la brosse qui frappe.

La recherche du fonctionnement de cette prose confirme donc, nous semble-t-il, combien l'incompatibilité de la description et de la métaphore telle que la proclamaient, en leur opposition, André Breton et Alain Robbe-Grillet, ne relève en fait que d'une illusion produite par l'exiguïté du champ de lecture.

Pour s'en tenir à un schéma, constatons simplement, pour notre part, que *la Jalousie* tend à se construire selon des cellules éminemment descriptives articulées les unes aux autres par des charnières métaphoriques, et donc que métaphore et description se trouvent associées en un rapport complémentaire.

L'on perçoit la conséquence de ce fonctionnement limite : que toute métaphore, dans un livre, soit nécessairement lue en sa littéralité, qu'elle provoque donc, en chaque cas, le passage d'un ici à un autre, et l'insertion, par inadvertance, d'une métaphore expressive (par laquelle un quelconque comparant viendrait voltiger autour d'un comparé), relève du contresens absolu. Le texte se trouverait alors projeté aussitôt en cet ailleurs irresponsablement évoqué — et la prose serait sitôt désintégrée par une anarchie cosmique.

Associées l'une à l'autre dans un spécifique fonctionnement, ce que la métaphore et la description récusent ici encore, on le voit, n'est rien d'autre que l'expression.

Ma lecture ne sera toutefois probante, peut-être, que si le fonctionnement, tel qu'il a été défini, permet de saisir, en ce livre, la naissance, la montée de la jalousie, et enfin, son amenuisement. L'on sait que, par divers procédés, la narration s'incarne dans ce personnage en creux qu'on a nommé, sans trop d'inexactitude, le mari. Puisque la femme de Franck, Christiane, malade, n'apparaît jamais, le matériel descriptif, en fait de personnages, se résume à trois pôles : Franck, l'héroïne, quelques employés noirs. Le mécanisme selon lequel des cellules des descriptions se trouvent rapprochées de diverses manières par des métaphores structurelles tisse en conséquence peu à peu, inexorablement, entre les deux personnages majeurs, un réseau toujours plus étroit d'affinités. Soulignons par exemple, que si l'héroïne brosse ses cheveux, son geste s'accorde à celui de Franck.

Intervient alors le second degré du fonctionnement : le texte produit une image du rapprochement métaphorique en accroissant l'intimité de l'héroïne et de Franck. Ce nouvel état est à son tour repris par le premier degré du mécanisme, en un va-et-vient croissant qui s'élève jusqu'au paroxysme.

Sitôt cette conjonction d'une certaine manière accomplie, le processus est bloqué. Il se développe alors autrement : c'est la série mineure du même ordre, avec les Noirs. Mais surtout, à mon sens, une notion nouvelle commence à imprimer sa marque. Dans un ensemble aussi parfaitement clos que ce livre, la combinaison systématique des éléments suppose à la limite, avec l'éclatement du temps, l'actualisation de tous les possibles. Les possibles, c'est-à-dire, notamment, les contraires. L'espace textuel voit naître, avec la saturation des rapports, l'idée d'une neutralisation. C'est dans ce phénomène que se trouve notamment la cause de l'apaisement terminal.

### D) *Un livre qui se lirait lui-même ?*

Peut-être, n'est-ce pas sans raison que, pour cet exposé, tel ordre a été choisi que puisse se distinguer, avec la présence toujours plus irrécusable du fonctionnement, l'affaiblissement conjoint du temps de la fiction.

Pour répandue qu'elle soit encore, l'idée d'une fiction préalable que l'écriture exprimerait ensuite, se révèle ainsi, s'agissant de littérature, tout à fait hors du propos.

La fiction pour nous, c'est ce que, par son fonctionnement, constitue une prose. Ou encore : la fiction est inspirée par l'écriture.

Plusieurs, sans doute, prenant acte de la destruction du temps pratiquée par Robbe-Grillet, supposeront atteinte une limite, et qu'ils sont venus trop tard. Ceux-là, je ne doute pas qu'en toutes époques ils soient venus trop tard : naître trop tard, c'est un état d'esprit.

Or, si *la Jalousie* de Robbe-Grillet contient une leçon, n'est-ce pas plutôt, que ce livre, désintégrant le temps de la fiction, sauvegarde expressément le déroulement temporel de la narration ? C'est en ce domaine, me semble-t-il, que doivent s'accomplir, maintenant, d'inédites perturbations.

Si je me penche sur ces quelques observations risquées ce soir, ce n'est pas tant une mise à jour du fonctionnement que je discerne; c'est une apologie de la lecture. Non de cette lecture qui court d'un bout à l'autre du texte, lâchant continûment la proie pour l'ombre — mais de cette autre lecture, un peu plus attentive, qui sait faire une station, puis retourner maintes fois en arrière, parcourant le texte en tous sens. N'est-il donc pas possible, aujourd'hui, de supposer un livre qui se constituerait en projetant sur son propre déroulement temporel, l'abolition temporelle d'une semblable lecture ? Est-il exclu d'imaginer, en somme, un livre qui, d'une certaine façon, se composerait en se lisant lui-même ?

# INQUIÈTE MÉTAPHORE

*Non seulement il croit, mais il sait positivement que tels et tels arrangements de matières, arbitraires en apparence, conſtituent seuls la vraie beauté.* (EDGAR POE.)

## I. LA MÉTAPHORE *IN VITRO*

De loin en loin divers auteurs se plaisent à reprendre la querelle de la métaphore. L'excès y semble de rigueur : l'on connaît les extrémismes adverses d'André Breton et d'Alain Robbe-Grillet. Leurs respeſtives devises pourraient proclamer : " Hors de la métaphore, il n'eſt point de salut " et " Il n'eſt de salut que hors de la métaphore. " Telle symétrie ne saurait surprendre. Pour opposées qu'elles soient l'on sait que les conviſtions de Breton et de Robbe-Grillet reposent sur une commune attitude : la seule observation d'étroits fragments de texte. La métaphore eſt donc définie comme une *entité*, heureuse pour l'un, pour l'autre maléfique. L'on diſtingue les dangers : considérer un ſtyle sans tenir compte de l'économie générale de l'œuvre, n'eſt-ce pas oublier qu'un livre et un ſtyle s'inventent réciproquement ? Envisager un ſtyle en soi, n'eſt-ce pas courir le risque de le juger selon de préalables canons et verser en conséquence dans une lecture *académique* ?

Si l'on songe à éviter ces manichéismes pour reconnaître aux métaphores l'irrécusable diversité de leurs valeurs, c'eſt à leur étude hors du texte et comme *in vitro* qu'il faut renoncer. De la correspondance analogique, longtemps admise, à l'inverse " degré d'arbitraire le plus élevé " que préconise Breton, les caraſtériſtiques exigées d'une métaphore sont un peu trop capricieuses pour qu'on puisse en attendre un classement solide. Baudelaire essaie-t-il, d'autre part, d'expliquer par une métaphysique les excellentes métaphores qu'il sombre aussitôt dans le paralogisme :

> Chez les excellents poètes, il n'y a pas de métaphore, de comparaison ou d'épithète qui ne soit d'une adaptation mathématiquement exacte dans la circonstance actuelle, parce que ces comparaisons, ces métaphores, ces épithètes sont puisées dans l'inépuisable fonds de l'*universelle analogie*, et qu'elles ne peuvent être puisées ailleurs.

Comme l'universelle analogie, ce principe selon lequel (Baudelaire paraphrasant Swedenborg)

> tout, forme, mouvement, nombre, couleur, parfum, dans le *spirituel* comme dans le *naturel* est significatif, réciproque, converse, *correspondant*,

contient par définition *toutes* métaphores, elle ne saurait en privilégier aucune. L'excellence de certaines ne peut donc venir de ce critère paralogique.

Il faut rendre à la métaphore l'espace où elle s'accomplit, le texte même, afin de pouvoir l'étudier *in vivo*.

## II. LES TROIS ORIENTATIONS

Relisons donc les exemples choisis par Robbe-Grillet :

> Dire que le temps est " capricieux " ou la montagne " majestueuse ", parler du " cœur de la forêt ", d'un soleil " impitoyable ", d'un village " blotti " au creux d'un vallon (...). La hauteur de la montagne prend, qu'on le veuille ou non, une valeur morale ; la chaleur du soleil devient le résultat d'une volonté (...). Si j'accepte le mot " blotti " (...) je deviens moi-même le village, pendant la durée d'une phrase, et le creux du vallon fonctionne comme une cavité où j'aspire à disparaître.

Avant de supposer aux figures ici condamnées les divers contextes capables d'en varier la valeur il faut se souvenir que toute métaphore détermine une sorte d'exotisme. En la métaphore, en effet, un *ailleurs* (le comparant) s'assemble toujours, de quelque façon, à un *ici* (le comparé). Le rapport de la métaphore au contexte peut donc s'établir selon trois occurrences. Si l'élément *ailleurs* est situé à l'intérieur, à l'extérieur du contexte, ou, à l'intérieur et à l'extérieur, nous parlerons de métaphores à orientations interne, externe, ou mixte.

## A) Orientation interne.

Malgré leur intérêt discutable, nous accueillerons des contextes psychologiques : ils présentent pour cette démonstration, l'avantage de la simplicité. Voici un paysage ordonné par l'intermédiaire d'un quelconque personnage, disons un terrassier ouvrant une tranchée. Si, pour cet homme, le soleil *est* impitoyable, *être* doit se lire *sembler*. La malveillance du soleil ne suppose pas une volonté : elle est une simple projection de la fatigue du manœuvre. Autre exemple : si la figure " cœur de la forêt " surgit dans la description d'un paysage qu'un homme traverse, nous entendons, d'une certaine manière, que le voyageur souhaite se cacher, s'abriter, parce que l'espace, pour lui, propose non un jeu de distances neutres, mais une hiérarchie polarisée par l'idée de cachette, de lieu secret, d'abri. Le rapport reste interne : il ne conduit pas dans l'âme du soleil ou de la forêt, il désigne l'état d'esprit du protagoniste. Inversement, nous le verrons plus loin, le refus de la métaphore pourra susciter toute une particulière psychologie.

## B) Orientation externe.

D'innombrables romanciers, certes, considèrent avec Littré la description comme un simple " ornement du discours ". Clairement ou non, nul ne désire se cacher, mais l'auteur prétend distraire par la peinture d'un paysage et la présentation d'un " beau style ". Il se prévaut de l'opinion de Proust à propos de Flaubert : " Pour des raisons qui seraient trop longues à développer ici, je crois que la métaphore seule peut donner une sorte d'éternité au style ." Mais c'est sans les raisons de Proust (il est facile de montrer combien la métaphore fonde *de toutes les manières* la géniale *Recherche*) qu'il préfère l'élégant " cœur de la forêt " au trop sobre " milieu ". Plus loin, le même auteur choisira non le prosaïque " ciel gris ", mais le pseudo-poétique " ciel triste ". Ce style s'appuie donc sur tout un système de sens préalables. Une magie involontaire quelquefois : la forêt suscite un envoûtement (on oublie les bûcherons); le plus souvent une sagesse des nations : le ciel gris sécrète la tristesse (on oublie les joueurs de football). L'on voit combien cette sous-jacente " philosophie " s'appuie sur la *statistique*. Le nombre des promeneurs excède infiniment celui des footballeurs. Pour la *moyenne*, extraite de la somme des milliers de projets de promenades et de dîners sur l'herbe, on est en droit d'avancer la tristesse d'un ciel. On se targue même de la valeur descriptive d'un tel usage : si, pour la majorité, le ciel gris signifie tristesse, la tristesse du ciel me permet, en retour, d'en préciser la couleur. Le *cliché* est justifié. Or, au lieu d'une description précise, on propose un spectacle indécis qu'il reste à construire au travers du système majoritaire des *idées reçues*.

### C) *Orientation mixte : redondance et redresseur.*

Dans la mesure où, rapport violent, elle établit lisiblement un ens latéral, la métaphore mérite un usage circonspect. Si le romancier décrit la sueur de l'ouvrier, la formule " soleil impitoyable ", qui suscite le même sens, la fatigue, s'avilit en redondance. La " malveillance " du soleil ne peut plus désigner la fatigue : c'est une fonction que la sueur *lui a volée*. Elle ne peut plus pratiquer l'orientation interne que la présence du personnage semblait rendre possible. Libre, elle se réfère à un système *externe* : une métaphysique panthéiste, par exemple. Cette malveillance, sur laquelle la redondance insiste, peut alors se lire comme le résultat d'une volonté.

Considérant plus haut qu'une description présentée au travers d'un personnage donnait à la métaphore l'occasion d'une référence interne, nous avons différé une conséquence remarquable, celle-ci : il suffit au roman de connaître un *narrateur universel* pour que celui-ci fonctionne en toute occurrence comme centre de référence interne. L'homogénéité, si souvent artificielle, des romans à la première personne découle de cette propriété. L'orientation externe, au lieu de se diriger vers un système extérieur, se recourbe, s'intériorise aussitôt. Elle entre en connivence avec le narrateur, dans la mesure où celui-ci, par définition, *englobe* tous systèmes externes. La redondance est impossible. Si ce mode narratif exerce une telle fascination sur les romanciers, c'est qu'il joue le rôle d'un *redresseur automatique d'inadvertances*. Mais s'il n'est le plus souvent que cette *assurance tous risques* à laquelle souscrit intuitivement le prosateur, le point de vue autorise également un usage positif. Par l'unité foncière qu'il établit, il facilite les architectures et groupements complexes, permettant la coexistence de la variété et de l'Un : *l'Emploi du temps, la Jalousie, le Parc.*

Sans doute faudrait-il analyser d'autres cas. Si les narrateurs sont juxtaposés, chacun redresse les inadvertances de son propre récit. Quand ils sont emboîtés, la référence peut jouer sur le narrateur contenu et sur le narrateur contenant. C'est telle possibilité que met en œuvre *la Route des Flandres*, rapprochant ainsi, dans la composition, Georges et Iglésia. Et c'est tel aspect structurel que désigne, cet autre rapprochement que, par leurs coïts respectifs, Corinne, en son corps, accomplit.

### III. UNE PSYCHOLOGIE DE LA MÉTAPHORE REFUSÉE

*A) Apologue de la métaphore proscrite.*

Nous l'avons prétendu : en ses développements les plus lucides, la fiction s'inspire des particularités narratives qui l'instituent. Un nouvel exemple se propose ici. Si la métaphore " cœur de la forêt ", dans un cas d'orientation interne, signale tendanciellement l'état d'esprit du protagoniste, son remplacement par la très neutre formule " milieu " aurait pour vertu d'exclure cette *indication*.

Le dispositif formel composé d'un projet descriptif renonçant aux métaphores et d'un narrateur universel peut donc inspirer la fiction. En évitant les métaphores, c'est autant de renseignements sur son état d'esprit que le narrateur supprime. Il est donc possible d'inférer de ce schéma formel toutes sortes de psychologies fondées sur un savoir refusé. Par exemple une dissimulation par l'effacement des *indices* : l'on reconnaît Mathias — qu'il est possible, malgré diverses ambiguïtés, d'assimiler au narrateur du *Voyeur*. Les passages suivants :

> Mathias cherche, au fond de sa poche, les deux morceaux trop longs retrouvés dans l'herbe sur la falaise. Il les allume l'un après l'autre, afin de les amener à une taille plus vraisemblable; il les fume le plus rapidement possible, en tirant bouffée sur bouffée, et les jette à leur tour par la fenêtre. (...)

Mathias prend le sachet de bonbons dans sa poche, l'ouvre, y introduit un caillou pour le lester, le referme en tordant plusieurs tours la cellophane sur elle-même, le laisse enfin tomber à l'endroit où la fente est un peu moins étranglée. L'objet se heurte à la pierre, une fois, deux fois, mais sans se disloquer ni être arrêté dans sa chute. Puis il disparaît aux regards, absorbé par le vide et l'obscurité (p. 237 et 239).

où Mathias fait disparaître de compromettants indices, constituent l'apologue que la fiction présente du fonctionnement scriptural qui l'établit.

### B) *La description comme refuge.*

La fiction propose certes, du fonctionnement qui l'instaure, bien d'autres fables. Si, exempte des compromettantes métaphores, la description offre au narrateur une certaine sécurité, sa face fictive, la contemplation des objets, constitue, à la moindre alerte, un refuge immédiat.

L'on se souvient qu'aux trois premières pages du *Voyeur*, animées de divers événements et personnages (un jet de vapeur, une réminiscence, la découverte d'une cordelette, une fillette, des passagers), succèdent, avec une lisible rupture de ton, quelque six pages d'une digression descriptive presque entièrement consacrée à la contemplation de la jetée et du quai. Les détails y foisonnent quelquefois jusqu'au luxe :

Le quai, rendu plus lointain par l'effet de perspective, émet de part et d'autre de cette ligne principale un faisceau de parallèles qui délimitent, avec une netteté accentuée par l'éclairage du matin, une série de plans allongés, alternativement horizontaux et verticaux : le sommet du parapet massif protégeant le passage du côté du large, la paroi intérieure du parapet, la chaussée sur le haut de la digue, le flanc sans garde-fou qui plonge dans l'eau du port. Les deux surfaces verticales sont dans l'ombre, les deux autres sont vivement éclairées par le soleil — le haut du parapet dans toute sa largeur et la chaussée à l'exception d'une étroite bande obscure : l'ombre portée du parapet. Théoriquement on devrait voir encore dans l'eau du port l'image renversée de l'ensemble et, à la surface, toujours dans le même jeu de parallèles, l'ombre portée de la haute paroi verticale qui filerait tout droit vers le quai (p. 13).

Se reporte-t-on au début de ce mouvement descriptif qu'on en découvre la raison :

> Tous avaient la figure tournée vers la gauche et les yeux fixés sur le haut de la jetée, où une vingtaine de personnes se trouvaient rassemblées en groupe compact, également silencieux et figé, cherchant un visage à reconnaître dans la foule du petit vapeur. De part et d'autre, l'expression était la même : tendue, presque anxieuse, bizarrement uniforme et pétrifiée.
> Le navire avançait sur son erre... (p. 11).

L'anxiété des habitants de l'île, cherchant un visage dans la foule, et l'anxiété symétrique des passagers (surpris par l'inquiétude des premiers, et, donc, innocents) désignent Mathias comme l'être dangereux, le coupable. C'est pour fuir la mise en cause qu'il croit lire sur les figures que Mathias se réfugie dans une si longue contemplation.

Les exemples de cette description *asilaire* se révèlent innombrables. Si, ramassant une ficelle, Mathias se voit surpris par une fillette, il se cache dans une attentive observation :

> Mathias se baissa pour la ramasser. En se relevant il aperçut, à quelques pas sur la droite, une petite fille de sept ou huit ans qui le dévisageait avec sérieux, ses grands yeux tranquillement posés sur lui. Il esquissa un demi-sourire, mais elle ne prit pas la peine de le lui rendre et ce n'est qu'au bout de plusieurs secondes qu'il vit ses prunelles glisser vers la pelote de ficelle qu'il tenait dans la main, à la hauteur de sa poitrine. *Il ne fut pas déçu par un examen plus minutieux : c'était une belle prise — brillante sans excès, tordue avec finesse et régularité, manifestement très solide* (p. 10).

Preuve décisive : c'est à l'aide du mécanisme de l'asile contemplatif que Mathias interprète lui-même l'attitude de la serveuse.

> A l'autre bout du bar, l'homme la considérait sans indulgence, qui marchait vers lui à pas menus. Elle dut apercevoir la présence de son maître — l'espace d'un battement de cils, — car elle s'arrêta net, *hypnotisée par les raies du plancher à la pointe de ses chaussures* (p. 59).

C) *Une dissimulation trahie.*

Souvenons-nous ici des caractéristiques de la description. Avec elle une particulière importance est offerte d'une part (puisque leur rareté est essentielle) aux objets désignés, et, d'autre part (puisqu'elles sont successivement *dégagées*), à leurs diverses qualités. Comme *arrachés* aux objets par la description, ces attributs, en leur généralité, tendent à se répéter. Ainsi disposent-ils à *rimer* les objets qui les portent.

Considérés comme choses quotidiennes, une ficelle en rouleau et la marque faite sur une jetée par un anneau de fer, ne paraissent pas trop se correspondre. Mais leur forme concrète, obligatoirement simplifiée, *forcée* par la description, devient celle d'un huit :

> C'était une fine cordelette de chanvre, en parfait état, *soigneusement roulée en forme de huit*, avec quelques spires supplémentaires serrées à l'étranglement (p. 10).

> Quatre ou cinq mètres plus à gauche, Mathias aperçut *le signe gravé en forme de huit*.

> C'était un huit couché : deux cercles] égaux, d'un peu moins de dix centimètres de diamètre, tangents par le côté. Au centre du huit, on voyait une excroissance rougeâtre qui semblait être le pivot, rongé par la rouille d'un ancien piton de fer. Les deux ronds pouvaient avoir été creusés, à la longue, dans la pierre, par un anneau tenu vertical contre la muraille, au moyen du piton, et ballant librement de droite et de gauche dans les remous de la marée basse (p. 17).

Ainsi la description resserre-t-elle les liens entre les objets écrits. Ce rapprochement, ce nœud est marqué quelques lignes plus loin :

> D'autre part ses dimensions modestes ne paraissaient pas en rapport avec la grosseur des cordages utilisés d'ordinaire, même pour les petites barques de pêche. On n'aurait pu guère y *nouer que de fortes cordelettes* (p. 17).

Il ne va point sans conséquence : la description n'est pas un outil astreint à la servitude. Ses mécanismes sont piégés. Décrire, en ses particularités apparemment anodines, la marque de l'anneau, c'est appeler l'un des instruments du supplice : la cordelette.

En se fondant sur une similitude, par l'effet d'une métaphore structurelle, la description peut à tout moment, sans crier gare, choisir un autre objet. Libérant, en ses particularités, des analogies spécifiques, la description trahit le narrateur qui prétendait ne trouver en elle qu'un pur espace sans relations.

### D) *Métaphores implicites, allégories secrètes.*

La métaphore structurelle prolonge et accentue ici un phénomène plus discret, mais non moins capital : *la métaphore implicite.* Décrire la marque de l'anneau en précisant sa forme de huit, c'est reprendre implicitement, par le biais de leur facteur commun, le rouleau de cordelette. La marque de l'anneau, au *sens figuré*, peut se lire : cordelette.

Outre sa vertu d'organiser un texte, la métaphore structurelle, par son grossissement, a pour effet de désigner, en de " sages " proses descriptives, la présence d'implicites sens figurés. Elle indique qu'un décryptage doit avoir lieu, creusant sous les " innocents " sens propres, et révélant, en tout passage, les doubles, les multiples ententes. Ainsi *l'étranglement* des spires, le *bruit de gifle* des vagues livrent, par en dessous, leur sadisme figuré.

Ces implicites métaphores s'assemblent-elles selon une certaine continuité que nous obtenons des *allégories secrètes*. La " rassurante " description de la jetée, citée plus haut, est travaillée par une allégorie du crime :

| | | |
|---|---|---|
| Le flanc | : | Le corps (de Jacqueline) |
| sans garde-fou | : | livré sans défense au dément Mathias, |
| (qui) plonge | : | tombe |
| dans l'eau du port | : | dans l'océan. |

L'on renverra les sceptiques à la fin de la seconde partie. L'évocation de la jetée y évite soigneusement, cette fois, tels dangers descriptifs, mais le souvenir en subsiste dans ces " embûches " apparemment aberrantes.

> l'arête intérieure du parapet, l'angle formé par la chaussée avec la base de celle-ci, *le bord de la paroi sans garde-fou* — lignes horizontales et rigides, mais coupées *d'embûches.*

Le refus de la métaphore explicite libère donc deux autres aspects de la fonction métaphorique : *structuration* et *sens chiffrés*. Plus elle s'efforce d'atteindre à la pureté, et plus la description est *hantée* par la métaphore.

L'on comprend mieux l'arrière-plan de la subséquente psychologie de Mathias : la hantise. Apparemment évacués, les indices en tous lieux resurgissent. Pour Mathias les descriptions sont bien, en effet, des " lignes horizontales et rigides, mais coupées d'embûches ".

### E) *Une culmination dans l'allégorie.*

Peut-être sera-t-on porté à croire la psychologie de Mathias seul possible *produit* d'une description refusant la métaphore stylistique. Il suffit d'étudier la mentalité de l'invisible mari de *la Jalousie* pour admettre qu'elle s'établit non moins sur une connaissance refusée. Le dispositif formel du roman obtient son incarnation fictive, au niveau psychologique, en l'imaginaire florissant du narrateur, continûment alimenté par un subtil mélange du désir et du refus de savoir. Désir : description donc observation d'éventuels indices; refus : absence de métaphores stylistiques donc passivité de l'interprétation. L'accroissement de la jalousie est notamment l'effet des métaphores implicites qui peu à peu minent la surface descriptive. La culmination se produit quand les sous-jacentes métaphores s'unissent jusqu'à former une allégorie presque apparente :

> Dans sa hâte d'arriver au but, Franck accélère encore l'allure. Les cahots deviennent plus violents. Il continue néanmoins d'accélérer (p. 166).

Sous la conduite d'une automobile, ainsi décrite, c'est le comportement érotique de Franck qui s'impose allégoriquement au narrateur.

### IV. MÉTAPHORE ALÉATOIRE

### A) *Prudentes métaphores.*

Description, métaphore, telles sont apparemment les deux aspirations contraires de la prose. La description mesure des différences, établit des distances; elle *constitue une scène*. La métaphore, en revanche, joue sur des similitudes, assure des liaisons; elle *accomplit des rapprochements*. Ces deux plans peuvent entretenir trois sortes de relations : le *parallélisme*, cette impossible pure absence de rapport dont rêvent les respectifs adversaires de la querelle; l'*imbrication* qui caractérise tous les mélanges inconséquents de la description et de la métaphore; *l'intersection* enfin, où la métaphore et la description s'impliquent réciproquement. C'est cette dernière problématique qui paraît occuper le centre de maintes contemporaines recherches romanesques, la métaphore s'y trouvant lisiblement entourée de croissantes précautions.

Ainsi a-t-on pu remarquer combien Jean Pierre Faye, dans son troisième roman, prend soin de délimiter un *Battement* entre deux espaces tendanciellement distincts : celui, descriptif, axé sur le *Il*; celui, métaphorique, fondé sur le *Je* : Donnons un exemple. Le facteur *coupure*, faisant partie de la constellation sans cesse active *séparation, frontière*, etc., se distingue *descriptivement* (la métaphore *obligée* par la perception tactile y prenant valeur de catachrèse) dans l'espace du *Il* :

> Il se lève, en posant le petit carnet sur la table, il ouvre les rideaux et il entrouvre la fenêtre. Il avance la tête juste pour recevoir la première *tranche de froid* (p. 9).

et *métaphoriquement* dans l'espace du *Je* :

> A la fenêtre de la maison latérale, surplombant la cour, un *visage coupant* et brun s'appuyait entre les rideaux un instant (p. 114).

D'un espace à l'autre, la métaphore précise un sens. L'attaque initiale, climatique, neutre, se trouve personnifiée, préparant, rapprochant l'agression finale.

B) *Métaphore aléatoire, machine à inspiration.*

Au cours des recherches actuelles, les prudentes métaphores se disposent donc selon des réseaux analogiques sévèrement contrôlés. Aussi tombent-elles sous le coup des accusations du chantre de *la métaphore libre*, André Breton. Dans *Du Surréalisme en ses œuvres vives*, celui-ci se prend à dire :

> On n'insistera jamais trop sur le fait que la métaphore, bénéficiant de toute licence dans le surréalisme, laisse loin derrière elle l'analogie (préfabriquée) qu'ont tenté de promouvoir en France Charles Fourier et son disciple Alphonse Toussenel. Bien que tous deux tombent d'accord pour honorer le système des " correspondances ", il y a de l'une à l'autre la distance qui sépare le haut vol du terre à terre.

La différence marquée par Breton est indiscutable : l'analogie émet un rapprochement justifié par une ressemblance et peut sembler en cela préfabriquée; la métaphore surréaliste repose sur le principe contraire : l'affinité résulte en quelque sorte du rapport qui s'est établi. Il est cependant possible d'imaginer des livres qui intégreraient, en leur fonctionnement, des *métaphores aléatoires*.

Comme ces dispositifs ne vont pas sans complexité, je me recommanderai de Roussel et de Valéry : je n'hésiterai pas à les accompagner d'un exemple élémentaire tiré de mon premier roman : *L'Observatoire de Cannes*.

*a*) *Stade* 1 : Supposons donc un livre tel qu'un nombre suffisant de transitions s'accomplissent selon la charnière analogique fondée sur la ressemblance *d* :

$$a\ b\ c\ d + d\ e\ f\ g$$

de façon qu'au cours de la lecture ce mode de transition devienne automatique.

*b*) *Stade* 2 : Bientôt, lorsque deux fragments, pour éloignés qu'ils soient, se présentent ainsi :

$$a\ b\ c\ d + \cdots + h\ d\ i\ j$$

le lecteur saura actualiser ce rapport virtuel, rapprocher les deux fragments, et utilisant *d* comme un *sas*, il pourra passer de l'un à l'autre. Nous rendons ce phénomène par une mise en *facteur commun* :

$$d(a\ b\ c + h\ i\ j)$$

Voici donc deux passages, séparés par onze pages, et en lesquels on a inscrit en italique les communs facteurs qui autorisent le rapprochement dans l'épaisseur du livre :

> A quinze centimètres de la base du cou, la zone sombre du buste est interrompue par la pièce supérieure du maillot de bain — découpée dans un tissu à petits carreaux verts et blancs, bordé d'une fine dentelle blanche — dont le profil se divise en deux courbes. La première est ascendante, *concave à peine jusqu'au sommet* du sein. La seconde, *convexe*, descend jusqu'au thorax bronzé (p. 30).

et :

> A la moindre tempête — et la tempête, ici, le vent soulevant la mer en hautes lames, *concaves, à peine,* du côté du rivage, *jusqu'à* l'aigrette d'écume du *sommet, convexes* du côté du large, surgit en quelques minutes, en quelques secondes — la première plage est emportée, puis les rochers (p. 41).

*c) Stade 3 :* Lorsque cette opération s'accomplit aisément, la sensibilité de la lecture peut s'affiner jusqu'à découvrir un nouveau phénomène. Au-delà de l'analogie " préfabriquée " qui établit la correspondance d'un sein et d'une vague, il y a un autre rapprochement : celui des deux ensembles qui respectivement les contiennent. A mesure donc que s'accroît la différence entre le détail où joue la micro-analogie, et l'ensemble qui le comprend, *l'analogique motivation* du rapport des deux ensembles décroît. A la limite, la relation qui unit les deux ensembles est aussi aléatoire que celle obtenue par la pliure d'un *cadavre exquis* : ici, un corps de femme, une tempête. Un semblable texte fonctionne donc comme *une machine à établir d'implicites métaphores aléatoires à orientation interne.*

*d) Stade 4 :* Parfois ce rapport métaphorique est de nature à être indiqué par d'éventuelles métaphores stylistiques : celles, ici, qui pourraient assembler un corps et une tempête. Le plus souvent cette relation ne pourra pas être ainsi désignée : c'est qu'un rapport trop délié aura été obtenu. Le dispositif aura permis de dépaser la *grossière* métaphore courante, et d'atteindre à ce qu'il faudrait appeler, " au-delà de toute expression ", *la perception métaphorique,* son étonnante finesse, sa mobilité.

*e) Stade 5 :* Notons-le pour finir : cette machine à métaphores peut se retourner en une *machine à inspiration.* Le rapprochement établi par l'implicite métaphore aléatoire à orientation interne se *matérialisera* en une spatiale contiguïté : c'est ainsi qu'a été notamment obtenu, dans ce livre, l'album de photographies intitulé *Un corps dans la tempête.*

# IV

# CONSTRUCTION

# TEMPS DE LA NARRATION
# TEMPS DE LA FICTION

*Car l'homme est cet être sans âge fixe, cet être qui a la
faculté de redevenir en quelques secondes de beaucoup d'années
plus jeune, et qui, entouré des parois du temps où il a vécu,
y flotte, mais comme dans un bassin dont le niveau changerait
constamment et le mettrait à la portée tantôt d'une époque,
tantôt d'une autre.* (MARCEL PROUST.)

Si toute œuvre romanesque n'est pas indépendante de la narration qui l'instaure, alors sa temporalité doit être observée aux
deux niveaux distincts qui déterminent respectivement *le temps
de la narration* et *le temps de la fiction*. A plusieurs reprises, nous utiliserons donc des schémas bi-axiaux. Ceux-ci méritent quelque
commentaire. Comme les difficultés offraient une complexité singulière, la schématisation s'est produite avec une extrême violence.
Ainsi l'impossibilité d'établir ici non seulement une échelle commune, mais encore une échelle distincte pour chacun des axes,
nous a induit à choisir des représentations largement *arbitraires*.
Nous avons en outre préféré les occurrences dont la disposition
se révélait la plus simple. Prenant naturellement soin que cette
schématisation n'inventât ses propres questions, il nous a semblé
possible de recenser plusieurs groupes de problèmes concernant
les rapports du temps narratif et du temps de la fiction.

## A) *Contrôle des deux axes.*

A vrai dire, l'usage du rapport des deux axes temporels ne
paraît pas avoir souvent franchi, chez la plupart des romanciers,
le stade empirique. Il n'est pas rare, en effet, qu'un quelconque
roman fasse correspondre à la succession des fragments narratifs
*a, b, c,* des segments de la fiction dispersés en divers points de la

161

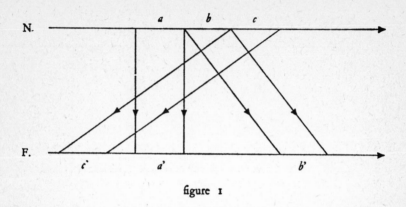

figure 1

durée. Par exemple *a'* sera une scène contemporaine, *b'* un projet, *c'* le si fréquent retour en arrière (fig. 1).

Très vite, on l'imagine, l'enrichissement de ce schéma révélerait par son désordre combien les relations entre les deux étages ne sont guère contrôlées, et que tout romancier, s'il se laisse conduire par les événements, oublie volontiers que construire un roman revienne à édifier un *livre*.

Michel Butor, au contraire, dans *l'Emploi du temps*, ce roman qu'institue précisément le fait qu'un livre commence de s'écrire, a joué systématiquement, jusqu'à le dramatiser, du rapport entre les deux axes. Et d'abord il a normalisé les unités temporelles en imposant à l'axe narratif les unités mêmes de la fiction. L'on sait en effet que Jacques Revel commence son journal au mois de mai et en prolonge la rédaction jusqu'à la fin de septembre. Ainsi l'ordre successif de la narration peut-il se mesurer en quelque manière par mensualités. A ces cinq mois correspondent les cinq parties du livre. Mai : I. L'Entrée; juin : II. Les Présages; juillet : III. L'accident; août : IV. Les deux Sœurs; septembre : V. L'Adieu.

Mais on sait que ce journal s'applique au moins autant à retrouver le passé qu'à seulement noter le présent. Comme Jacques

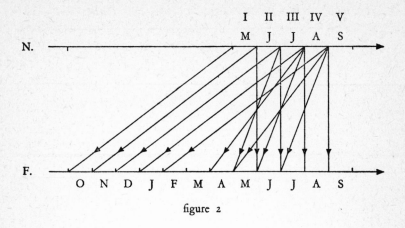

figure 2

Revel est arrivé en octobre à Bleston, les cinq mois de la narration doivent réussir à balayer les douze mois de la fiction : ainsi le mois de mai permettra d'écrire octobre; le mois de juin : juin et décembre; le mois de juillet : juillet, décembre, mai, etc. L'on constate à quel point ce schéma (fig. 2) est cette fois très ordonné et combien les quatre parties seulement figurées suffisent à faire apparaître ce mouvement de tenaille qui se referme sur la fin du mois de février, et en retarde continûment, par son mécanisme essentiel, l'évocation. La structure de la dramatisation des rapports des deux axes temporels détermine ce secret du livre sur lequel le roman se termine :

> et je n'ai même plus le temps de noter ce qui s'était passé le soir du 29 février, et qui va s'effacer de plus en plus de ma mémoire, tandis que je m'éloignerai de toi, Bleston, l'agonisante, Bleston toute pleine de braises que j'attise, ce qui me paraissait si important à propos du 29 février, puisque la grande aiguille est devenue verticale, et que maintenant mon départ termine cette dernière phrase.

Ainsi se trouve en passant démontré combien certaine formalisation, loin de stériliser, nourrit fondamentalement les épisodes de la fiction.

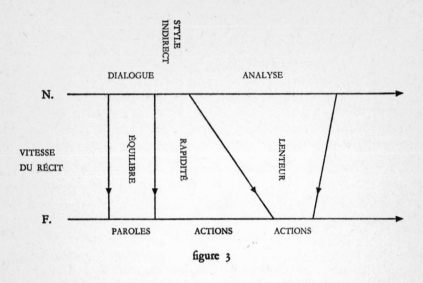

figure 3

## B) *Vitesse de la narration.*

Le schéma bi-axial est naturellement capable de faire apparaître toutes sortes de problèmes intuitivement résolus quelquefois par les romanciers. Sans utiliser ici d'unités précises, il est cependant possible d'étudier quels rapports de durée s'établissent, suivant la nature du récit, entre les deux niveaux temporels (fig. 3). Ainsi se détermine ce qu'on peut nommer une vitesse *de la narration.* Avec le dialogue, une espèce d'égalité entre le segment narratif et le segment fictif établit un état d'équilibre. Avec le style indirect qui *résume* volontiers d'amples séries d'événements, le récit *accélère.* Avec l'analyse, psychologique par exemple, où le rapport tend à s'inverser, le récit *s'enlise.* Dans le *Premier Manifeste,* André Breton note :

> Le désir d'*analyse* l'emporte sur les sentiments. Il en résulte des exposés de longueur...

Qu'on se souvienne en revanche de la terrible accélération imposée par Flaubert à son récit dans *l'Éducation sentimentale* :

Il voyagea.

Il connut la mélancolie des paquebots, les froids réveils sous la tente, l'étourdissement des paysages et des ruines, l'amertume des sympathies interrompues.

Il revint.

Mais il arrive que le ralentissement s'accentue jusqu'à l'arrêt : nous lisons une description (fig. 4). C'est que l'objet s'établit dans une manière de permanence. Comme l'écriture, au niveau élémentaire du moins où nous nous plaçons ici, est unilinéaire, c'est aux dépens du cours temporel de l'action que la description s'institue. Notons également que, pour la *commodité* de son exécution, la description se plaît souvent à *immobiliser* les personnages : telle est à mon sens la raison du penchant des auteurs dont les descriptions sont rigoureuses pour le hiératisme.

Or, cette excessive disproportion entre une durée nulle de la fiction et un étirement correspondant du texte tend à faire apparaître, dans une espèce de pureté *l'écriture* elle-même. Déjà sensible dans mainte description flaubertienne (Flaubert joue donc avec les extrêmes de l'opposition des deux axes), ce phénomène s'accroît sensiblement aujourd'hui, dans les meilleures longues pages des-

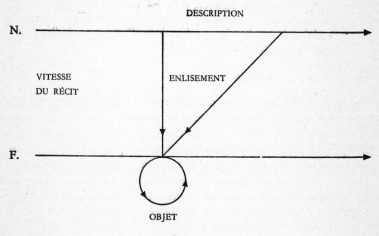

figure 4

criptives d'un Robbe-Grillet ou d'un Ollier. Avec la rupture du parallélisme, si lâche et embrouillé fût-il, accordant les deux axes, *l'alibi* de l'anecdote se trouve abandonné : l'axe de la narration étant valorisé aux dépens de celui de la fiction, l'on voit comment le roman cesse d'être l'écriture d'une histoire pour devenir l'histoire d'une écriture.

Nul mieux que Lessing sans doute, dans le chapitre XVI de son *Laocoon*, n'a posé ce problème de la description. Si certains auteurs contemporains recherchent l'enlisement descriptif pour dégager l'écriture du masque de la fiction, les conteurs classiques, en revanche, craignaient cette immobilisation dangereuse. Lessing a magistralement montré comment, pour conjurer ce péril, Homère *ntroduisait une action entre chaque partie de l'objet* :

> Homère veut-il nous montrer le costume d'Agamemnon ? Il faut alors que le roi revête devant nos yeux, pièce par pièce, la fine tunique, le grand manteau, les beaux brodequins, le glaive; ainsi le voici prêt et il saisit son sceptre. *Nous voyons les vêtements pendant que le poète peint l'action de vêtir ;* un autre aurait décrit le costume jusqu'à la moindre frange et nous n'aurions rien vu de l'action.

Homère écrivait en effet :

> Il revêtit sa belle tunique, fine, neuve, et s'enveloppa de son grand manteau; à ses pieds, il mit sa belle chaussure et attacha son glaive à son épaule par des clous d'argent; puis il reprit le sceptre ancestral et impérissable.

### C) *Solutions de continuité.*

Le schéma des deux axes nous permet aussi d'évoquer le problème des *solutions de continuité*. On pourrait classer celles-ci en trois types (fig. 5). Celles qui affectent la fiction et non la narration : par des formules temporelles comme " plus tard " ou " l'année suivante ", diverses durées, réduites à rien, sont *instantanément* survolées; c'est le cas limite de l'accélération du récit. Celles qui affectent également la fiction et la narration : le saut d'un chapitre à un autre correspond alors à un hiatus temporel de la fiction. Mais on pourrait imaginer que la rupture établie par un blanc typographique ne scande aucune interruption de l'histoire : c'est ce

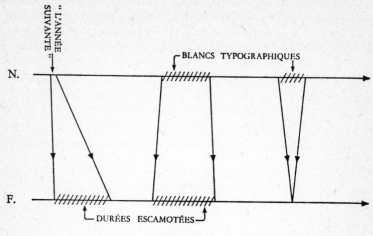

figure 5

que j'ai tenté, selon une périodicité régulière, avec les chapitres de *l'Observatoire de Cannes*. En cette occurrence deux problèmes se trouvent donc superposés : le ralentissement du récit (changeant de chapitres, on en *reste* à la suite de la narration) fait, comme nous l'avons vu, apparaître l'écriture (habituellement masquée par l'anecdote); et d'autre part l'écriture dans sa continuité, se voit lisiblement (par le caractère régulier de l'interruption) contestée (et donc reconnue) par l'*architecture* du livre. Contradiction assumée par toute littérature.

## D) *Simultanéité et alternance.*

L'on ne saurait terminer l'esquisse des rapports entre les deux axes temporels sans s'inquiéter du cas paradoxal des *événements simultanés.* Si le schéma qui en fait apparaître le principe (fig. 6) ressemble à celui de la *lenteur* (analyse ou description), il faut pourtant en extraire une conclusion tout opposée. C'est qu'il n'y a nullement ici cette réduction de la densité des événements qui

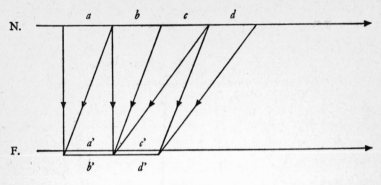

figure 6

caractérise la description ou l'analyse; au contraire, il y a pléthore d'actions. Le narrateur *suspend* tel événement pour reprendre son contemporain et *vice versa*. Tel suspens laisse donc, pendant *b*, le lecteur attendre avec impatience *c*, et, pendant *c*, désirer *d*. L'on est toujours satisfait et insatisfait, la suite de *cela* hante toujours *ceci*. Il y a une exaltation de la fiction. Composé selon ce principe, *Vol de Nuit* n'est pas loin, en quelque manière, d'une fiction hitchcokienne. La disposition *suspensive* des fragments narratifs correspondant à des événements contemporains tend à produire une métamorphose; la simultanéité éclate en une alternance qui accroît artificiellement l'intérêt de chaque segment. C'est pourquoi sans doute Jean-Paul Sartre, dans la tentative de simultanéité du *Sursis*, s'est-il vu condamné à mettre l'accent beaucoup moins sur cet événement européen de la menace de guerre que sur un éparpillement d'anecdotes structurellement valorisées. Telles les trois que voici, situées en trois lieux : à Nancy, sur une route et à Marseille.

" Attention ! " cria Philippe, bousculé. Il se baissa pour ramasser sa mallette; le grand type en savates ne se retourna même pas. " Brute ", grommela Philippe. Il fit face au café et regarda les gens avec des yeux terribles. Mais personne n'avait remarqué l'incident. Un gosse pleurait, sa mère lui tamponnait les yeux, avec un mouchoir. A la table voisine trois hommes étaient assis, accablés, devant des orangeades. Ils ne sont pas tellement innocents, pensa-t-il en parcourant la foule de son regard insoutenable. Pourquoi partent-ils ? Ils n'auraient qu'à dire non. L'auto filait. Daladier enfoncé dans les coussins suçait une cigarette éteinte en regardant les piétons. Ça l'emmerdait d'aller à Londres, pas d'apéro, il boufferait comme un cochon, une femme en cheveux riait, la bouche grande ouverte, il pensa : " Ils ne se rendent pas compte " et il hocha la tête. Philippe pensa : " On les emmène à la boucherie et ils ne se rendent pas compte. Ils prennent la guerre comme une maladie, pensa-t-il avec force. C'est un mal insupportable parce qu'il vient aux hommes par les hommes. " Mathieu poussa le portillon : " je viens attendre un ami ", dit-il à l'employé (Le Sursis p. 205).

*E) Reprises textuelles.*

Il y a certes d'autres rapports entre l'axe de narration et celui de la fiction. Supposons (fig. 7) que les fragments narratifs *b* et *c* répètent textuellement *a*. Un phénomène comparable à celui qu'impose la description se produit alors. Une *rupture* tend à séparer les deux axes : tandis que la narration se prolonge, la fiction au contraire, en quelque façon, s'immobilise. Ici encore, la conséquence est double. *L'écriture* n'est plus masquée par le dérou-

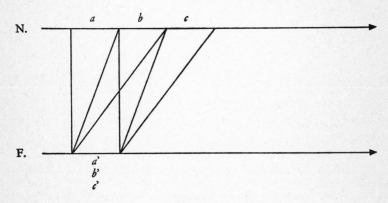

figure 7

lement de l'histoire, mais elle est *contestée* en sa réitération même, par l'*architecture* du livre. C'est à des phénomènes de cet ordre que se trouve notamment consacré mon second roman, *la Prise de Constantinople.*

Évitant de saisir le temps de la fiction en lui-même, nous nous sommes d'abord astreint à le lier au temps de la narration. Or, plusieurs cas de rupture ont attiré plutôt l'attention sur l'axe narratif. Celui-ci semble mettre en présence avec *l'écriture* et *l'architecture,* deux grandeurs contradictoires. La fiction ne serait donc peut-être qu'une médiation destinée à résoudre ce conflit. En conséquence, elle s'alimenterait, non sans paradoxe, à la narration : elle en serait le *drame.*

# L'HISTOIRE DANS L'HISTOIRE

*Où les détails prophétisent.* (Jorge-Luis Borges.)

## I. LA MISE EN ABYME

Commentant *Le Corbeau* et la non moins célèbre *Genèse d'un poème* par laquelle Edgar Poe révélait selon une perfection ambiguë la méthode de composition de son texte, Baudelaire écrivait :

> Un de ses axiomes favoris est encore celui-ci : " Tout dans un poème comme dans un roman, dans un sonnet comme dans une nouvelle, doit concourir au dénouement. Un bon auteur a déjà sa dernière ligne en vue quand il écrit la première. " Grâce à cette admirable méthode, le compositeur peut commencer son œuvre par la fin et travailler quand il lui plaît à n'importe quelle partie. Les amateurs du délire seront peut-être révoltés par ces cyniques maximes.

Si ce principe est révoltant c'est que, corrodant par sa radicale exigence de clarté le dogme mystérieux et confus de l'inspiration, il condamne les doctrines fondées sur l'expression : le romantisme, et par avance le surréalisme, ce romantisme explosif et finissant. Or, les actuelles recherches romanesques nous permettent de sortir du xixᵉ siècle en ce qu'elles affirment, avec Poe, que l'œuvre est une création où la lucidité joue un rôle majeur. Lisons de plus près le postulat de l'auteur américain :

> S'il est une chose évidente, c'est qu'un plan quelconque, digne du nom de plan, doit avoir été soigneusement élaboré en vue du dénouement avant que la plume attaque le papier. Ce n'est qu'en ayant sans cesse la pensée du dénouement devant les yeux que nous pouvons donner à un plan son indispensable physionomie

de logique et de causalité, — en faisant que tous les incidents, et particulièrement le ton général, tendent vers le développement de l'intention.

L'esthétique de Poe détermine un absolutisme : celui du dénouement. C'est au final qu'est entièrement subordonné le plan de l'œuvre, et cet édifice lui-même exerce à son tour une coercition absolue sur le " porte-plume ". En quelque point du texte qu'il opère, et quelque intention que lui propose à tout instant le mot à mot, le porte-plume travaille dans un parfait état de soumission aux préalables du récit.

Tel principe a produit maints chefs-d'œuvre chez Poe, et chez quelques autres : on ne peut sérieusement songer à le mettre en cause. Il est toutefois permis d'imaginer, contre cette tyrannie trop aisément accessible, une opération qui enrichirait l'espace homogène de l'histoire en y introduisant un facteur de contestation. Puisque l'histoire ne tolère, sans digression aucune, rien d'autre que son propre récit, on pourrait tenter d'imbriquer deux histoires pareillement totalitaires et qui s'efforceraient chacune de s'imposer à l'autre.

Mais il existe un procédé plus élégant capable, en lui imposant une manière de *narcissisme*, de prendre au mot ce totalitarisme narratif ; puisque l'histoire, dans ses linéaments essentiels, est connue avant que la plume n'attaque le papier, n'est-il pas tentant d'injecter en un quelconque point de son cours certain passage qui en offrirait une sorte de résumé ? C'est par elle-même que l'histoire serait contestée. Tel enrichissement narratif remonte à très loin, et Edgar Poe, nous l'étudierons plus bas, l'a lui-même utilisé. Mais nul en tout cas, semble-t-il, ne l'a mieux évoqué qu'André Gide. On connaît le passage du *Journal* de 1893 :

> J'aime assez qu'en une œuvre d'art, on retrouve ainsi transposé, à l'échelle des personnages, le sujet même de cette œuvre. Rien ne l'éclaire et n'établit plus sûrement les proportions de l'ensemble. Ainsi, dans tels tableaux de Memling ou de Quentin Metsys, un petit miroir convexe et sombre reflète, à son tour, l'intérieur de la scène où se joue la scène peinte. Ainsi, dans le tableau des Ménines de Velasquez (mais un peu différemment). Enfin, en littérature, dans *Hamlet*, la scène de la comédie ; et ailleurs dans

bien d'autres pièces. Dans *Wilhelm Meister*, les scènes de marion-
nettes ou de fête au château. Dans la chute de *la Maison Usher*,
la lecture que l'on fait à Roderick, etc.

Notant ensuite l'analogie de cette enclave avec l'inclusion, en
héraldique, d'un blason dans un autre, on se souvient que Gide
propose de la nommer une " mise en abyme ". C'est ce terme que
nous utiliserons désormais.

## II. CONTESTATIONS PAR LA MISE EN ABYME

Les modalités des contestations de la mise en abyme étant
fort diverses, nous nous proposons de les examiner sur trois exemples.

*A*) *La Chute de la Maison Usher*, ou l'avenir est dans le livre.

Invité dans le manoir isolé de Roderick Usher, le narrateur a
rapidement assisté à la mort de Madeline, sœur de son hôte. Pour
distraire ce dernier dont la nervosité se marque par une morbide
exaspération des perceptions auditives, il entreprend la lecture
d'un " antique bouquin ", le *Mad Trist* de Sir Launcelot Canning.
De singulières coïncidences sonores s'établissent bientôt entre
ce livre et la scène où s'accomplit la lecture. Voici des extraits de
la fin de la nouvelle :

> J'étais arrivé à cette partie si connue de l'histoire où Ethelred,
> le héros du livre, ayant en vain cherché à entrer à l'amiable dans
> la demeure d'un ermite, se met en devoir de s'introduire par la
> force. Ici, on s'en souvient, le narrateur s'exprime ainsi : " Et
> Ethelred, qui était par nature un cœur vaillant, et qui maintenant
> était aussi très fort, en raison de l'efficacité du vin qu'il avait bu,
> n'attendit pas plus longtemps pour parlementer avec l'ermite,
> qui avait, en vérité, l'esprit tourné à l'obstination et à la malice,
> mais, sentant la pluie sur ses épaules et craignant l'explosion
> de la tempête, il leva bel et bien sa massue, et avec quelques coups
> fraya bien vite un chemin, à travers les planches de la porte, à sa
> main gantée de fer; et, tirant avec sa main vigoureusement à lui,
> il fit craquer, et se fendre, et sauter le tout en morceaux, si bien
> que le bruit du bois sec et sonnant le creux porta l'alarme et fut
> répercuté d'un bout à l'autre de la forêt. "

A la fin de cette phrase, je tressaillis et je fis une pause; car il m'avait semblé, — mais je conclus bien vite à une illusion de mon imagination, — il m'avait semblé que d'une partie très reculée du manoir était venu confusément à mon oreille un bruit qu'on eût dit, à cause de son exacte analogie, l'écho étouffé, amorti, de ce bruit de craquement et d'arrachement si précieusement décrit par Sir Launcelot. Évidemment, c'était la coïncidence seule qui avait arrêté mon attention; car, parmi le claquement des châssis des fenêtres et tous les bruits confus de la tempête toujours croissante, le son en lui-même n'avait rien vraiment qui pût m'intriguer ou me troubler.

Cette manière de contrepoint, Edgar Poe la prolonge et l'amplifie par une savante gradation. Si le dragon frappé par Ethelred exhale son dernier souffle avec un " rugissement épouvantable ", ce n'est pas sans que le narrateur n'en perçoive, venue de loin, " l'exacte contrepartie ". Ainsi accède-t-on aux ultimes pages :

... et je repris le récit de Sir Launcelot, qui continuait ainsi :
" Et maintenant, le brave champion, ayant échappé à la terrible furie du dragon, se souvenant du bouclier d'airain, et que l'enchantement qui était dessus était rompu, écarta le cadavre de devant son chemin et s'avança courageusement, sur le pavé d'argent du château, vers l'endroit du mur où pendait le bouclier, lequel, en vérité, n'attendit pas qu'il fût arrivé tout auprès, mais tomba à ses pieds sur le pavé d'argent avec un puissant et terrible retentissement. "
A peine ces dernières syllabes avaient-elles fui mes lèvres, que — comme si un bouclier d'airain était pesamment tombé en ce moment même sur le plancher d'argent, — j'en entendis l'écho — distinct, profond, métallique, retentissant, mais comme assourdi. J'étais complètement énervé; je sautai sur mes pieds; mais Usher n'avait pas interrompu son balancement régulier. (...) Je me penchai tout à fait contre lui, et enfin je dévorai l'horrible signification de ses paroles : — Vous n'entendez pas ? — Moi, j'entends, et J'AI ENTENDU pendant longtemps, — longtemps, bien longtemps, bien des minutes, bien des heures, bien des jours, j'ai entendu, — mais je n'osais pas, — oh ! pitié pour moi misérable infortuné que je suis ! — je n'osais pas, — je N'OSAIS PAS PARLER ! NOUS L'AVONS MISE VIVANTE DANS LA TOMBE ! Ne vous ai-je pas dit que mes sens étaient très fins ? Je vous dis MAINTENANT que j'ai entendu ses premiers faibles mouvements dans le fond de la

bière. Je les ai entendus, il y a déjà bien des jours, bien des jours — mais je n'osais pas, — JE N'OSAIS PAS PARLER ! Et maintenant — cette nuit — Ethelred, — ha ! ha ! — la porte de l'ermite enfoncée, et le râle du dragon et le retentissement du bouclier ! — dites plutôt le bris de bière, et le grincement des gonds de fer de sa prison, et son affreuse lutte dans le vestibule de cuivre ! Oh ! où fuir ? Ne sera-t-elle pas ici tout à l'heure ? N'arrive-t-elle pas pour me reprocher ma précipitation ? N'ai-je pas entendu son pas sur l'escalier ? Est-ce que je ne distingue pas l'horrible et lourd battement de son cœur ? Insensé ! — Ici, il se dressa furieusement sur ses pieds et hurla ces syllabes, comme si dans cet effort suprême il rendait son âme : — Insensé ! JE VOUS DIS QU'ELLE EST MAINTENANT DERRIÈRE LA PORTE !

L'on se souvient qu'en cet instant, la porte s'ouvre et que la moribonde vient expirer dans les bras de son frère qui meurt à son tour, " victime de ses terreurs *anticipées* ". Alors, frappé d'effroi, le narrateur s'enfuit. Mais il ne peut s'empêcher, une fois ultime, de se retourner :

Le rayonnement provenait de la pleine lune qui se couchait, rouge de sang, et maintenant brillait vivement à travers cette fissure à peine visible naguère, qui, comme je l'ai dit, parcourait en zigzag le bâtiment depuis le toit jusqu'à la base. Pendant que je regardais, cette fissure s'élargit rapidement ; — il survint une reprise de vent, un tourbillon furieux ; — le disque entier de la planète éclata tout à coup à ma vue. La tête me tourna quand je vis les puissantes murailles s'écrouler en deux. — Il se fit un bruit prolongé, un fracas tumultueux comme la voix de mille cataractes, — et l'étang profond et croupi placé à mes pieds se referma tristement et silencieusement sur les ruines de la MAISON USHER.

Peut-être n'est-il pas indifférent de comprendre pourquoi le narrateur, soudain, s'est enfui. Un lecteur pressé, inattentif, insuffisant, se contentera sans doute d'invoquer ici la terreur suscitée par cette théâtrale double mort. Mais celui qui, en littérature, entend se rassurer par une psychologie quotidienne a, croyons-nous, maintes chances de se tromper. Le narrateur n'a-t-il pas surmonté, depuis le début du conte, bien d'autres épreuves ? Quelque événement secret, d'une tout autre envergure, a probablement dû survenir.

En vérité comme il advient souvent en art, cet événement est la superposition de deux phénomènes distincts. Nous indiquerons pour mémoire le premier : il s'accomplit selon le passage d'un *sens figuré à un sens propre*. Avec la conjointe mort de Lady Madeline et de Roderick s'éteint la famille des Usher : c'est, au sens figuré, *la Chute de la Maison Usher*. Comme Poe a pris soin d'insister sur la manière de correspondance peu à peu établie entre le manoir et ses habitants, il est possible d'imaginer le proche écroulement de la demeure, *la Chute de la Maison Usher*, au sens propre cette fois.

Le second phénomène relève de la mise en abyme. Si le narrateur s'enfuit précipitamment du manoir, c'est qu'*il connaît déjà la fin de l'histoire*. Les concordances sonores qui se sont instaurées entre l'histoire qu'il racontait et la scène qu'il a vécue l'induisent à admettre que, par le biais d'une habile transposition, c'est en quelque façon sa propre aventure qu'il a lue. Roderick, rappelons-le, le confirme dans ses soupçons :

> La porte de l'ermite enfoncée, et le râle du dragon et le retentissement du bouclier ! — dites plutôt le bris de sa bière, et le grincement des gonds de fer de sa prison, et son affreuse lutte dans ce vestibule de cuivre !

mais il évite de rappeler une péripétie essentielle : l'intégrale destruction, par Ethelred, de la demeure de l'ermite. Le narrateur ajoute-t-il à ce saccage la fissure *imperceptible*, qu'il a remarquée en arrivant, sur la muraille du manoir, et le voici assuré, aussitôt, de l'imminente *chute de la Maison Usher*.

C'est par le microscopique dévoilement du récit global, donc, que la mise en abyme conteste l'ordonnance préalable de l'histoire. Prophétie, elle perturbe l'avenir en le découvrant avant terme, par anticipation.

### B) *Le mythe d'Œdipe ou la vengeance du récit premier.*

Tout oracle, donc, propose une mise en abyme. Parce que, en le lui montrant, elles permettent à l'auditeur d'essayer de s'y soustraire, les voix oraculaires contestent cet immense récit au dénouement inéluctable que l'on nomme *destin*.

Le mythe d'Œdipe, à cet égard, est des plus fructueux, qui propose trois successives mises en abyme. Essayons de distinguer en quoi ces trois attaques du récit premier ne réussissent pas à lui apporter une contestation décisive. On sait que Laïos, roi de Thèbes, en épousant Jocaste, eut l'idée de demander à Delphes si son union serait heureuse. Laïos apprit qu'il serait assassiné par l'enfant qui devait en naître. C'est dans la mesure où il ne tire pas, dans toute sa rigueur, la conséquence de cette révélation faite par la mise en abyme, et manifeste donc une lucidité incomplète que Laïos ne réussit pas la contestation du préalable récit qui l'englobe. Au lieu de faire exécuter son fils sans ambiguïté dès sa naissance, il charge, selon la légende, un serviteur de lui percer les pieds et de le suspendre à un arbre du Cithéron. L'enfant fut donc découvert par un berger qui le nomma Œdipe, " pied-enflé ", et il fut adopté par le couple royal de Corinthe qui, toujours, lui cacha son origine adoptive.

La seconde mise en abyme, on s'en souvient, se produit à l'adolescence du héros. Consultant à son tour l'oracle, il reçoit la réponse bien connue : " Œdipe sera le meurtrier de son père et l'époux de sa mère : il mettra au jour une race détestable. " Aussitôt Œdipe abandonne la cour de Corinthe et ses parents supposés. Une deuxième fois, donc, les conséquences de la mise en abyme ne sont pas intégralement tirées. La situation mensongère, en laquelle on l'a maintenu ne permet à Œdipe qu'une lucidité factice. Elle lui interdit d'opérer la rectification efficace du récit de son avenir.

Œdipe rencontre donc sur la route Laïos, son père véritable. Une dispute le conduit bientôt à lui donner la mort. L'épisode suivant, où apparaît le sphinx, porte, avec un admirable raffinement de perversité, la méprise d'Œdipe à son comble. L'on connaît la célèbre énigme du sphinx : " Quel est l'animal qui a quatre pieds le matin, deux sur le midi, et trois le soir ? " Mais on a sans doute un peu moins remarqué qu'elle admet deux réponses, qui, l'une emboîtée dans l'autre, justement, sont deux mises en abyme. " C'est l'homme, puisque, pendant son enfance, il se traîne à quatre pattes, marche sur ses deux jambes dans la force de l'âge, et doit recourir, en sa vieillesse à un bâton " répond Œdipe, et cette solution est certes convenable. Elle accomplit la mise en abyme de la vie de tout homme, son résumé essentiel —, mais elle est en vérité l'erreur suprême. Elle est cela même qui détourne Œdipe de la clé véritable. Car la solution de l'énigme, on l'a remarqué, c'est : " Œdipe lui-même. " Qui, plus que tout autre, s'est traîné à quatre pattes pendant son enfance sinon Œdipe aux pieds blessés ? Qui se tient à présent debout devant le sphinx ? et qui, ultérieurement, plus qu'Œdipe l'aveugle aura besoin pour marcher d'un bâton, ce bâton se nommant en vérité Antigone, sa fille sur laquelle il s'appuiera ?

L'énigme du sphinx présentait donc un double fond. La perverse duplicité dont elle était empreinte a incité une fois encore le héros à se satisfaire d'une incomplète clairvoyance. Œdipe a certes fait appel au principe salvateur de la mise en abyme, mais son réglage est resté des plus imprécis. Eût-il su répondre : " Œdipe " (et sans la possibilité d'une réponse prématurée il y fût peut-être parvenu), qu'il aurait obtenu une perception enfin exacte de son destin. Il eût pu alors entreprendre de lutter décisivement contre ce récit, où, d'avance, s'inscrit son avenir.

Cette superbe fable n'est pas sans leçons. Essayons de les éclaircir. La plus simple se résume de cette manière : à quelque extrémité qu'on en vienne, il est impossible de contester le destin fixé par les dieux. La seconde aggrave ainsi la première : le malheur est promis à celui qui s'efforce, pour leur échapper, de percer les décisions divines. A quel instant, en effet, commencent les horribles épreuves des Labdacides, sinon quand Laïos, à Delphes, provoque la première mise en abyme ? Et quels événements relancent ces malheurs sinon, par deux fois, les successives mises en abyme esquissées par Œdipe ?

Or, il importe de ne pas se satisfaire, ainsi qu'Œdipe, d'une solution prématurée, ni de succomber aux mirages de l'anecdote. A quoi assistons-nous, en vérité, sinon à la vengeance du récit primordial, monovalent, dont parlait Edgar Poe, contre les perturbations structurelles que lui ont apportées les mises en abyme ? Telle est pour nous l'ultime leçon de la fable d'Œpide. Nous la résumerons par le théorème : les grands récits se reconnaissent à ce signe que la fiction qu'ils proposent n'est rien d'autre que la dramatisation de leur propre fonctionnement.

Souhaite-t-on ici un ultime exemple qu'il faut observer la punition infligée à Laïos. Le verdict n'est rien d'autre que *l'image des attendus*. La punition représente l'action perturbatrice du père d'Œdipe. Cette contestation, par la mise en abyme, du récit premier. En effet qu'est Œdipe, sinon lui-même, une mise en abyme ? Fœtus, il est emboîté dans le ventre maternel; enfant, il est une ressemblante réduction de son père. Le meurtre de Laïos est, à sa manière, l'apologue de la contestation du récit majeur par la mise en abyme. L'engrossement de Jocaste par Œdipe est la fable de cette fécondité que la mise en abyme apporte en même temps au récit premier.

Enfin, si l'enfant peut se lire ici comme l'incarnation d'une mise en abyme, l'on comprend dès lors quel vœu représente la réciproque mise à mort, ultérieurement, des deux fils d'Œdipe, Étéocle et Polynice : le récit premier se débarrasse, au niveau de la fiction, de la mise en abyme, celle-ci se dédoublant en deux grandeurs symétriques et adverses jusqu'à l'annulation.

C) *Heinrich von Ofterdingen ou la mise à mort du temps.*

C'est parce qu'ils s'attaquent en somme au déroulement chronologique, fondement sacré de tous récits élémentaires, que les Labdacides peuvent être considérés comme des perturbateurs structuraux, objets d'une policière répression. Mais supposons maintenant que les sabotages temporels que constituent les mises en abyme se multiplient innombrablement; ne parviendrait-on pas, vers la limite, à un éclatement du temps de la fiction ? Je crois que tel est le problème qui hante au plus profond l'*Heinrich von Ofterdingen* de Novalis.

Reportons-nous à la mise en abyme du chapitre V de la première partie. Heinrich, le héros, le poète, descendu visiter avec des amis une mine abandonnée, se voit confier par l'ermite qui l'a reçu un Livre Singulier. Il reste un moment seul :

> Il se mit à feuilleter le livre avec ravissement. Il eut bientôt entre les mains un volume écrit dans une langue étrangère qui lui parut avoir quelque analogie avec le latin et l'italien.
> Ah, comme il aurait voulu comprendre cette langue ! Ce livre lui plaisait énormément, encore qu'il n'en comprît pas une seule syllabe. Il n'y avait aucun titre, mais en cherchant bien, Heinrich finit

par trouver quelques images. Et ces images lui semblèrent étrangement familières. Et comme il les regardait avec plus d'attention, il découvrit, parmi toutes ces figures, presque reconnaissable... la sienne propre ! Il en fut effrayé, croyant rêver; mais l'ayant regardée à plusieurs reprises, il lui fut impossible de douter, la ressemblance était parfaite. Il n'en croyait pas ses yeux ! Mais voici que sur une autre miniature, il vit la grotte, l'ermite et, près de lui, le vieux mineur.

Et peu à peu, il trouva sur d'autres pages l'Orientale, ses parents, le landgrave de Thuringe et sa femme, son ami le Chapelain et mainte autre de ses relations; toutefois leurs vêtements avaient changé et semblaient appartenir à une autre époque. Il vit de nombreux personnages auxquels il n'aurait pu donner de nom mais qui lui semblaient familiers. Sa propre image se montra dans des situations diverses, vers la fin du volume, il était plus grand, plus noble. Il tenait une guitare et la femme du Landgrave lui tendait une couronne.

Il se vit à la cour de l'Empereur; sur un navire embrassant tendrement une gracieuse jeune fille; dans un combat avec des hommes d'aspect farouche; dans un amical entretien avec des Sarrasins et des Mores. Un homme au visage grave apparaissait souvent en sa compagnie. Il ressentait une profonde vénération pour cette figure altière et il était heureux de se voir à ses côtés, lui donnant le bras. Les dernières pages étaient sombres et incompréhensibles mais il fut ému, et combien surpris d'y trouver quelques reflets de son rêve. La fin du livre semblait manquer. Heinrich se sentait extrêmement troublé. Il n'avait plus qu'un désir, pourvoir lire et posséder ce volume complet.

Pour troublante que soit l'exactitude de cette micro-histoire (la mort de Novalis empêcha en effet que soit achevé le livre qui la contient), elle ne saurait nous faire omettre à quel point *Heinrich von Ofterdingen* est tissu de toutes manières de duplications internes. En d'innombrables points du texte s'accomplissent rêves prémonitoires, correspondances, allusions sybillines, prophéties. Il ne saurait être question de les répertorier ici, mais si, à titre d'exemple, nous portons arbitrairement notre attention sur le paragraphe que la mort de Novalis interrompit, nous le lisons consacré une fois de plus au don de voyance. Voici la dernière phrase :

Comme la connaissance de l'avenir passe aux yeux des hommes pour un don rare et précieux, ils ne croyaient pouvoir rémunérer assez généreusement ses prédictions de sorte que, grâce à leurs présents, mon père se trouvait en l'état de soutenir un train de vie confortable et enrichi des agréments les plus divers...

Si l'hypothèse risquée plus haut, selon laquelle les aventures d'un récit ne sont rien d'autre que la dramatisation de son propre fonctionnement, est justifiée alors la multiplication des sabotages chronologiques au niveau structurel du récit doit susciter, quelque part dans le texte, la recherche d'une abolition du temps.

La fin de la première partie du livre, qui clôt une évocation grandiose, se termine par un quatrain dont le premier vers marque sans équivoque une destitution temporelle :

Voici fondé l'empire de l'Éternité.

On peut souhaiter une preuve plus décisive. Nous la chercherons dans la conclusion par laquelle Novalis entendait couronner son ouvrage. En voici le projet tel que nous le propose Ludwig Tieck d'après les papiers du poète. Il ne sera point malaisé d'y découvrir les successives batailles pour l'extinction du temps. Et qu'Heinrich, autour duquel se sont produites la plupart des mises en abyme du livre, soit à présent le héros de cette campagne, n'a désormais plus de quoi nous surprendre :

Le groupe bienheureux ne souffre plus que d'un seul enchantement *il est soumis au règne des saisons.* Heinrich détruit l'empire du Soleil (...). Ils partent vers le Soleil et s'emparent d'abord du Jour, puis ils s'élancent vers la Nuit, vers le Nord, pour y prendre l'Hiver, et vers le Sud, pour capturer l'Été. De l'Est ils ramènent le Printemps, de l'Ouest l'Automne. Puis ils se hâtent vers la Jeunesse, enfin vers la Vieillesse, vers le Passé en même temps que vers l'Avenir.

Ce que *la Chute de la Maison Usher*, le Mythe d'Œdipe, et *Heinrich von Ofterdingen* nous disent, par conséquent, c'est que la mise en abyme est avant tout la révolte structurelle d'un fragment du récit contre l'ensemble qui le contient.

A l'inverse, le véritable récit, loin de se satisfaire d'une facile dictature du tout sur la partie, se reconnaît à la propension qu'il affecte de laisser la part la plus ample possible aux éléments capables de le contester. Ainsi accroît-il la richesse de sa structure et le drame que provoque son accomplissement.

### III. RÉVÉLATIONS PAR LA MISE EN ABYME

Dès que le récit se conteste, il se pose donc aussitôt comme récit, il évite certain obscurantisme. En quelque manière il se présente comme la prise de conscience du récit par lui-même. Il devient un récit, qui, en se faisant, s'efforce de définir le fait qu'il y a récit. C'est pourquoi ma surprise ne cesse de renaître à chaque fois qu'un critique hâtif accuse le nouveau roman de détruire le récit. Les mises en abyme y atteignent, précisément, de façons fort diverses, une fréquence inaccoutumée. Citons les gravures rupestres de *la Mise en scène* de Claude Ollier, le titre du roman dans *les Fruits d'or* de Nathalie Sarraute, le tableau de l'ancêtre dans *la Route des Flandres* de Claude Simon et toutes pages de *la Jalousie* d'Alain Robbe-Grillet, où se produit précisément une destruction du temps.

Deux romans, me paraissent avoir apporté cependant une double solution remarquable au problème de la mise en abyme : *le Voyeur* d'Alain Robbe-Grillet et *l'Emploi du temps* de Michel Butor.

*A*) *Le Voyeur ou la mise en abyme accusatrice.*

Considéré dans sa composition, *le Voyeur* offre un récit *lacunaire*. Au centre de l'emploi du temps de Mathias, voyageur de commerce ayant à vendre des montres dans une île, le récit dispose une évidente solution de continuité. L'on sait que les hasards de la fabrication du livre ont en quelque sorte matérialisé tel hiatus par une entière page blanche — qui termine la première partie. En ce volume, peut-on dire, le récit, refoulant un segment de lui-même, essaie de se " blanchir ".

Or, si la mise en abyme peut se définir comme un narcissisme, la micro-histoire qu'elle produit, et nous retrouvons les peintres que citait André Gide, est un miroir. En s'y venant mirer l'histoire préalable risque donc d'y laisser paraître le fragment d'elle-même qu'elle a prétendu cacher. Dans une histoire qui se veut incomplète, la mise en abyme peut voir sa contestation se préciser en un pouvoir révélant.

Parmi les diverses micro-histoires qui impulsent le roman, je choisirai celle qui, non seulement trahit le viol sadique que Mathias a d'une certaine façon ailleurs accompli, mais démontre de surcroît, en même temps, le fonctionnement révélateur de la mise en abyme :

> Trois portes se dressaient maintenant devant lui.
> Celle du milieu bâillait largement. La pièce qu'elle offrait aux regards n'était pas la cuisine annoncée par le cafetier, mais une chambre spacieuse qui surprit Mathias par sa ressemblance avec quelque chose dont il ne sut pas, ensuite, préciser l'origine. Tout le centre en demeurait dégagé, si bien que l'on remarquait dès le premier abord le carrelage noir et blanc revêtant le sol : octogones blancs grands comme des assiettes, accolés par quatre de leurs côtés et ménageant aussi entre eux la place à un nombre égal de petits carrés noirs (...). Un lit vaste et bas occupait un des angles, son grand côté disposé le long du mur faisant face à la porte. Contre la cloison perpendiculaire, sur la droite, à la tête du lit, une table de nuit supportait une lampe de chevet. Venait ensuite une porte fermée, puis *la coiffeuse surmontée d'une glace ovale.* Une descente de lit en peau de mouton naturelle complétait ce coin. Pour voir plus avant, le long de la cloison de droite, il aurait fallu passer la tête dans la pièce. De même, toute sa partie gauche restait masquée par le battant de la porte, entrouverte sur le vestibule où se tenait Mathias (...).
> Au-dessus du lit, *un tableau* à l'huile (ou une vulgaire reproduction encadrée comme une toile de maître) *figurait un coin de chambre tout à fait analogue : un lit bas, une table de chevet, une peau de mouton. A genoux sur celle-ci et tournée vers le lit une petite fille en chemise de nuit est en train de faire sa prière, courbant la nuque et mains jointes. C'est le soir. La lampe éclaire, à quarante-cinq degrés, l'épaule droite et le cou de l'enfant.*
> Sur la table de nuit, la lampe de chevet était allumée — oubliée puisqu'il faisait grand jour. (...) Alors que tout le reste paraissait en ordre, le lit présentait au contraire un aspect de lutte, ou de ménage en cours.

Le tableau, dont le sujet est tel qu'il produit d'une certaine manière un *reflet* de la pièce, indique donc avec la plus vive clarté, le rôle de la mise en abyme dans le fonctionnement général du livre. Il révèle, de la scène, ce qui en est *absent* : la fillette agenouillée dans une attitude de supplication. Il trahit le crime de Mathias, il révèle la structure du récit. Ou, mieux, pour déceler ici une autre application du théorème plus haut démontré : le tableau représente la structure du livre et, de là l'ensemble de la fiction n'est en conséquence que la dramatisation de son propre fonctionnement.

Le théorème, remarquons-le au passage, permet, par analogie, d'en énoncer un autre, à résonance péjorative : les mauvais lecteurs se reconnaissent en ceci que la psychologie par laquelle ils définissent les personnages, n'est rien d'autre que la banalisation de la fiction. Ici par exemple, on refuserait le fonctionnement d'un art en assurant que le coupable Mathias, faisant le récit de son histoire, révèle un cas peut-être répertorié de paranoïa. Toute interprétation psychologique probablement se fonde sur un obscurantisme.

Mais lisons mieux. Non comblée d'ouvrir le secret qu'il nous cache, la mise en abyme tend ici à infléchir le récit qui la contient. Sitôt la fillette évoquée par le tableau, le lit présente *un aspect de lutte*. Et lorsque la narration corrige cette hypothèse par *ou de ménage en cours* c'est le récit primordial qui, de nouveau, après cette alerte, triomphe.

Qu'on observe, plusieurs pages en aval, le nouvel épisode de cette micro-histoire, et se trouve confirmé le rôle révélateur, jusqu'à la démiurgie, de la mise en abyme. Cette fois la fillette se trouve effectivement dans la chambre, et l'apparition du bourreau est naturellement obtenue par le miroir de la coiffeuse.

Il (Mathias) est au premier étage, debout dans l'étroit vestibule devant la porte entrebâillée sur la chambre au carrelage noir et blanc. *La fille est assise au bord du lit défait, ses pieds nus foulant la laine du tapis.* Auprès d'elle, les draperies rouges bouleversées pendent jusqu'au sol.

Il fait nuit. Seule est allumée la petite lampe sur la table de chevet. La scène, un long moment, demeure inanimée et silencieuse. Puis on entend de nouveau les mots : " Tu dors ? ", prononcés par la voix grave et profonde, un peu chantante, qui semble cacher on ne sait quelle menace. *Mathias aperçoit alors, s'encadrant dans la grande glace ovale au-dessus de la coiffeuse, l'homme qui se tient dans la partie gauche de la pièce.* Il est debout; il a le regard fixé sur quelque chose; mais la présence du miroir entre lui et l'observateur empêche d'en préciser la direction. Les yeux toujours baissés, la fille se lève et se met en marche, à mouvements peureux, vers celui qui vient de parler. *Elle quitte la partie visible de la chambre pour apparaître, quelques secondes plus tard dans le champ de la glace ovale.*

Remarquons-le, c'est par la mise en abyme, dans le champ du miroir, que la scène secrète du livre peut maintenant s'accomplir et préciser son accusation. Voici la suite en effet :

Arrivée près de son maître — à moins d'un pas de distance — à portée de sa main —, elle s'arrête.

La main du géant s'approche avec lenteur et va se poser à la base fragile du cou. Elle s'y moule, elle appuie, sans effort apparent, mais avec une force si persuasive qu'elle oblige le corps frêle à fléchir, peu à peu. Ployant les jambes, la fille recule un pied, puis l'autre, et se place ainsi d'elle-même à genoux sur le dallage...

B) *L'Emploi du temps ou l'éclatement de la mise en abyme.*

C'est à juste titre qu'on serait donc tenté de lire la mise en abyme comme le foyer d'une convergence, le lieu essentiel d'un rassemblement. Mais cette optique éviterait une autre dimension du phénomène. A la concentration de la mise en abyme correspond le plus souvent une explosion de la micro-histoire, dont les fragments, dispersés en tous points du récit primaire, accomplissent partout d'incessantes inflexions. A tout instant, dans *le Voyeur*, comme si la scène secrète avait volé en éclat, surgissent les divers instruments du supplice — bonbons tentateurs, cigarettes, ficelle roulée à la forme d'un huit — ou leurs évocations indirectes : par exemple tous objets octoformes.

Le phénomène caractérise non moins *l'Emploi du temps* où il domine l'allusive prose de Michel Butor. Comme le second roman de Robbe-Grillet, *l'Emploi du temps* est un récit de l'hiatus. Du passé qu'il envisage de rétablir, le narrateur assure " qu'il s'agit de combler les lacunes en ces quelques jours qui nous restent ". Or le temps lui manque pour achever ses évocations, pour noter ce qui " paraissait si important à propos du 29 février ".

Tel intervalle, une fois encore, est balancé par de complexes mises en abyme dont la principale est probablement le Vitrail de Caïn. Le narrateur précise lui-même, à la fin du livre qu'il est

" ce signe majeur qui a organisé toute ma vie dans notre année, Bleston " ; une des premières descriptions le présente comme environné de flammes :

> Dans les quatre triangles curvilignes qui le raccordent aux autres panneaux et au bord supérieur vous pouvez distinguer des fleurs à six pétales qui sont peut-être des flammes... (p. 7).

Quant à l'image elle-même (si l'on excepte ici le fratricide dont le souci de simplicité nous fera éluder l'analyse), elle permet de découvrir, par l'illumination du rouge, le mixte d'une pluie de sang et d'un immense incendie :

> Nos yeux se fatiguaient dans cet effort de telle sorte que bientôt les lignes de plomb se sont mises à trembler et à fondre, le sang rouge à couler comme une teinture épaisse depuis la blessure d'Abel jusqu'à la tunique rouge de Caïn dans le registre d'au-dessous, dans l'entrevue avec le Très-Haut, l'imposition du signe par la foudre sur le front. Le sang rouge s'est mis à couler jusqu'en bas, comme une lente averse dans tout le ciel rouge de la cité, derrière les métiers de Yabal, derrière l'orchestre de Yubal, derrière la forge de Tubalcaïn, puis débordant du Vitrail à couler sur les murs et sur les dalles, même sur les bancs, même sur les mains, surtout sur les mains couvertes, teintes, imprégnées de cette épaisse couleur lumineuse, comme des mains de meurtrier, comme si j'étais condamné au meurtre, mes mains au centre de la tache projetée par la scène d'en haut dans le silence (p. 197).

Si l'on ajoute que par deux précisions dont la correspondance traverse tout le livre, l'une à la page 297 (l'antépénultième) " avant que la cuisson trop lente n'ait transformé leur sable en verre " et l'autre à la page 9 (la première) " mon imperméable alors couleur de sable ", le narrateur se trouve uni au vitrail par le feu, on constate qu'un des aspects de cette centrale mise en abyme est *l'incendie*. Or, comme si le vitrail avait éclaté, toutes sortes d'incendies allusives ou explicites s'allument, attaquant la cité, contestant le récit primordial. Qui voudrait les compter en relèverait selon sa perspicacité probablement *des centaines*, entre la dernière phrase : " Bleston toute pleine de braises que j'attise " et la première " Les lueurs se sont multipliées. C'est à ce moment que je suis entré, que commence mon séjour dans cette ville. "

| PAGES | FLAMMES | FUMÉE |
|---|---|---|
| 9 | lueurs se sont multipliées<br>petits miroirs<br>lumière insuffisante, lampes,<br>réflecteurs | Vitre noire<br>plafond sali<br>vapeurs brunes |
| 10 | tôle rouge du wagon<br>cadran lumineux | Pincée de cendres<br>des brumes<br>brouillard<br>vapeurs sournoises qui<br>depuis sept mois m'as-<br>phyxient |
| 11 | lumière orange | fenêtres étaient obscures |
| 12 | couvre-feu<br>c'était allumé | deux hommes très sales |
| 14 | brûlait un feu de boulets | |
| 15 | face au feu | vapeur de mon imperméable<br>escarbilles qui tombaient<br>encore de mes cheveux. |
| 16 | grands rectangles rouges<br>grands bus rouges | taxis noirs, pardessus som-<br>bres course des nuages |
| 17 | la façade récemment refaite<br>en briques de Dudley Station<br>était encore rouge.<br>des feux rouges aux croise-<br>ments | colonnes (...) si couvertes<br>d'écorce noire qu'elle font<br>penser à des fûts de conifères<br>restés debout après l'incen-<br>die. |
| 299 | toute pleine de braises que<br>j'attise | |
| 296 | Cette lente flamme<br>Cette flamme<br>réverbères détachent blafards<br>rouille de Lanes Park | tapisserie de la nuit<br>sur la noirceur luisante<br>vert sombre, roseaux bru-<br>meux<br>en pleine obscurité |

| PAGES | FLAMMES | FUMÉE |
|---|---|---|
| | Ce rouge au-delà de toute couleur, dont les superbes incendies n'offrent qu'une lointaine préfiguration le rouge prodigieux de tes ultimes braises. | |
| 295 | lumière d'or | façade noire fond obscur de notre histoire |
| 294 | lumière généralement s'accompagne... | de l'obscurcissement d'autres. |

A titre d'exemples nous venons de rassembler en un tableau la conjointe évocation des flammes rouges et de la fumée noire dans les premières et dernières pages du roman.

En se répercutant en tous points d'une prose, la mise en abyme explosée risque donc d'y apporter d'incessantes perturbations. La description et la métaphore semblent particulièrement concernées.

Quelque précis qu'en soit l'accomplissement, toute description peut recéler un plan métaphorique sous-jacent : les réunions d'objets rouges et d'objets noirs, ici, peuvent se lire, au-delà d'eux-mêmes, comme d'implicites métaphores d'incendie. Quant aux métaphores elles-mêmes, outre l'évocation permise, elles tendent à se rapporter à un foyer de référence : ici l'incendie mis en abyme dans le vitrail. On distingue donc combien, en leurs plus belles réussites, ces proses systématiques contestent les styles facilement imagés que les lecteurs inattentifs considèrent aujourd'hui encore comme le signe de la littérature, ce style où les métaphores, seulement dotées d'une *locale* valeur évocatrice, n'ont guère d'autres vertus que d'assurer les brillants d'une écriture spectaculaire.

## IV. DE LA FIGURATION A LA LITTÉRALITÉ

Peut-être n'est-il pas impossible, maintenant, de suggérer, pour ce problème, quelques perspectives d'avenir. Si je considère la mise en abyme dans sa plus ample généralité, je constate qu'une nécessité régit ses dimensions : jamais, semble-t-il, la micro-histoire ne doit être plus longue que l'histoire qu'elle reflète, sous peine de devenir l'histoire reflétée. C'est dire que l'histoire contenue ne peut évoquer l'histoire contenante que sous l'espèce d'un résumé : allusion, métaphore, style indirect. Tel niveau est celui où il est probablement possible, aujourd'hui, d'apporter d'inédites transformations.

Sans doute importe-t-il de ne jamais oublier, lorsqu'on considère un récit, qu'une des deux parts qui le composent est de nature *matérielle*. Simple dans le récit oral, c'est la parole du conteur. Double dans le récit écrit, où viennent jouer la typographie et l'objet livre.

Une question se pose alors. Si la mise en abyme, en contestant le récit élémentaire, reconnaît le récit comme tel et le fait accéder à de plus subtils problèmes, quelle pourrait être la mise en abyme qui, contestant cette fois *le livre* dans sa conception élémentaire, reconnaîtrait le livre comme tel et le ferait accéder à de nouvelles dimensions ? La réponse est évidente. Il faut et il suffit que la mise en abyme soit *textuelle*, qu'elle reproduise, tout ou partie, l'histoire non de manière allusive, mais dans son *entière littéralité*.

Par son radicalisme, ce principe suscite naturellement les plus violentes perturbations. Toutes pages du livre ainsi mises en abyme dans le livre même, puisqu'elles se trouvent dédoublées ou multipliées, sont en tous lieux *intruses*. Qu'elles reproduisent des pages déjà lues, dévoilent des pages ultérieures, ou répètent successivement les mêmes feuillets, ces autogreffes, en chaque cas, provoquent des sabotages. De même que les mises en abyme au niveau de la fiction s'attaquent, nous l'avons remarqué, au temps de la fiction, les mises en abyme textuelles contestent dans son principe cette chronologie du livre, l'ordre successif des feuillets. Il serait donc souhaitable qu'un livre issu de ce principe supprimât de l'angle de ses pages les chiffres coutumiers de la pagination. S'il était conséquent, ce livre singulier devrait aussi proscrire *l'orientation* que détermine la présence d'une première page de couverture frappée d'un titre. Il pourrait alors envisager qu'un deuxième titre, sur l'autre face de sa couverture, vienne balancer le premier. Et, comme il arrive à son texte de se dédoubler, ce deuxième titre pourrait être la réplique du premier.

Point n'est trop dans mes habitudes d'essayer de tranquilliser le lecteur. Il nous faut cependant admettre que, s'il avise de revenir en amont, risquer un œil en aval, ou relire un passage, le lecteur compose de lui-même un *livre autre*, dont certaines pages, précisément, sont dédoublées, et insérées, selon sa volonté, en d'autres points du récit. Le livre que nous imaginons pourrait certes se considérer comme un récit qui intégrerait à sa composition l'une de ces lectures alternatives.

Mais la textuelle répétition d'amples passages passés ou à venir porte en elle-même une virtualité qu'il n'est pas interdit, me semble-t-il, de porter à l'actualité. L'on sait que le changement, en une prose, d'un mot, et quelquefois d'une lettre de ce mot, peut apporter de sérieux déplacements de sens. La comparaison de deux passages identiques, s'ils diffèrent parfois d'un mot ou d'une lettre, montrera l'exorbitant pouvoir de mutation que porte en lui cette minuscule variante. Ainsi serait en passant expérimentalement montré *cette soumission de l'esprit à la lettre*, propre à la poésie.

Ne serait-il pas alors naturel d'essayer de produire cette mutation d'une lettre sur le second titre de l'ouvrage ? Si l'on y parvenait, le titre indiquerait ainsi, par lui-même un autre des fonctionnements du livre. Et s'il se trouvait que ce titre, dès lors, pût évoquer le langage et son rapport à la fiction, nous disposerions d'une supplémentaire raison de l'accepter.

Tels sont les plus élémentaires problèmes soulevés par une rénovation radicale de la mise en abyme. Composer un livre tel qu'il puisse en somme supporter le dédoublement et l'inclusion de divers fragments de lui-même, ce serait tendre littéralement vers l'impossible livre dans le livre, ce serait aussi se heurter en tous points à un paradoxe sans cesse renaissant. Ou encore ce serait astreindre la fiction à se métamorphoser sans cesse pour mimer un fonctionnement qu'elle ne pourrait plus épuiser. Ce serait enfin exempter le livre de toutes les habituelles tentatives de réduction.

# ÉPILOGUE

# LE CARACTÈRE SINGULIER DE CETTE EAU

> *De telles conclusions ouvrent un vaste champ aux rêveries*
> *et aux conjectures les plus excitantes. Peut-être doit-on les*
> *rapprocher de quelques-uns des incidents du récit qui sont*
> *le plus faiblement indiqués ; quoique la chaîne des rapports*
> *ne saute pas aux yeux, elle est bien complète.* (EDGAR POE).

## I. LES HORS-TEXTE

L'exégèse critique est maudite. S'abandonne-t-elle à son vertige, et elle verse, se raffinant, dans les subtilités parfois abusives; s'en écarte-t-elle, et elle fixe un sens souvent prématuré. Ces deux tentations, cependant, ne s'équivalent guère : par excès, l'interprétation exalte l'idée fondamentale que, dans un texte, tout signifie; par défaut, elle condamne une part du texte à l'insignifiance. C'est donc d'abord sur ce qu'elle oublie, plus que sur ce qu'elle déclare, qu'on jugera une exégèse. Comme la surface du texte laissé en friche est généralement immense, le souci de précision demande ci un exemple privilégié.

### A) *Une ambiguïté exemplaire.*

Me recommandant de l'intérêt de Marie Bonaparte, Gaston Bachelard et Jorge Luis Borges pour ce passage, j'ai choisi dans *Les Aventures d'Arthur Gordon Pym*, de Poe, une brève énigme exemplaire. L'on se souvient que, naviguant vers le pôle sud, la goélette *Jane-Guy* aborde à " une terre qui différait essentiellement de toutes celles visitées jusqu'alors par les hommes civilisés ". Les explorateurs sont particulièrement surpris par l'aspect des ruisseaux :

> En raison du caractère singulier de cette eau nous refusâmes
> d'y goûter, supposant qu'elle était corrompue; et ce ne fut qu'un

peu plus tard que nous parvînmes à comprendre que telle était la physionomie de tous les cours d'eau dans tout cet archipel. Je ne sais vraiment comment m'y prendre pour donner une idée nette de la nature de ce liquide, et je ne puis le faire sans employer beaucoup de mots. Bien que cette eau coulât avec rapidité sur toutes les pentes, comme aurait fait toute eau ordinaire, cependant elle n'avait jamais, excepté dans le cas de chute et de cascade, l'apparence habituelle de la *limpidité*. Néanmoins je dois dire qu'elle était aussi limpide qu'aucune eau calcaire existante, et la différence n'existait que dans l'apparence. A première vue, et particulièrement dans les cas où la déclivité était peu sensible, elle ressemblait un peu, quant à la consistance, à une épaisse dissolution de gomme arabique dans l'eau commune. Mais cela n'était que la moins remarquable de ces extraordinaires qualités. Elle n'était pas incolore; elle n'était pas non plus d'une couleur uniforme quelconque, et tout en coulant elle offrait à l'œil toutes les variétés possibles de la pourpre, comme des chatoiements et des reflets de soie changeante. Pour dire la vérité, cette variation dans la nuance s'effectuait d'une manière qui produisit dans nos esprits un étonnement aussi profond que les miroirs l'avaient fait sur l'esprit de Too-wit. En puisant de cette eau plein un bassin quelconque, et en la laissant se rasseoir et prendre son niveau, nous remarquions que toute la masse du liquide était faite d'un certain nombre de veines distinctes, chacune d'une couleur particulière; que ces veines ne se mêlaient pas; et que leur cohésion était parfaite relativement aux molécules dont elles étaient formées, et imparfaites relativement aux veines voisines. En faisant passer la pointe d'un couteau à travers les tranches, l'eau se refermait subitement derrière la pointe, et quand on la retirait, toutes les traces du passage de la lame étaient immédiatement oblitérées. Mais si la lame intersectait soigneusement deux veines, une séparation parfaite s'opérait, que la puissance de cohésion ne rectifiait pas immédiatement. Les phénomènes de cette eau formèrent le premier anneau défini de cette vaste chaîne de miracles apparents dont je devais être à la longue entouré.

## B) *Un coup de force exégétique.*

Si l'on en croit le célèbre livre de Marie Bonaparte sur Poe, ce liquide énigmatique offrirait en vérité une pure... transparence :

> Il n'est pas difficile de reconnaître en cette eau du sang. L'idée de veines y est expressément exprimée, et cette terre " qui diffé-

rait essentiellement de toutes celles visitées jusqu'alors par les hommes civilisés " et où rien de ce que l'on aperçoit n'est " familier ", est au contraire ce qu'il y a de plus familier à tous les hommes : un corps dont le sang, avant même le lait, en son temps nous nourrit, celui de notre mère laquelle neuf mois nous hébergea.

Il n'est pas difficile de reconnaître ici un *bluff exégétique*. Des quatre principaux attributs du liquide (pas de liquidité sauf en cascades, dissolution de gomme arabique sur les déclivités peu sensibles, couleur variable, veines et leur étrange cohésion), Marie Bonaparte n'utilise qu'un seul, l'idée de veines. Sans doute un objet peut-il symboliser par un seul de ses caractères : c'est précisément le définir comme centre possible d'un symbolisme pluriel. Mais au lieu d'admettre qu'elle néglige les autres attributs, Marie Bonaparte les escamote en laissant entendre que leur déchiffrement, trop facile pour être noté, apporterait de nouvelles concordances. C'est ainsi qu'une exégèse partielle, dont il ne nous appartient pas de discuter ici le bien fondé, prétend indûment à l'exhaustivité par un coup de force herméneutique.

## C) Les inconséquences d'un rêveur.

Dans *l'Eau et les Rêves* (p. 80-86), Gaston Bachelard adopte et semble-t-il complète l'exégèse bonapartiste. Mais sa tentative se permet de telles anomalies qu'il faut d'urgence en dresser bilan. Ce bref mémoire incitera peut-être l'admirateur de Bachelard à une lecture plus circonspecte. Observons d'abord les deux phrases que voici :

> Mais le conteur qui commence par une narration descriptive éprouve le besoin de donner une impression d'étrangeté. Il faut donc qu'il invente; il faut donc qu'il puise en son inconscient.

Nous y distinguons un sophisme par tautologie. Dire d'un texte qu'il devient étrange parce que l'auteur en a éprouvé le besoin, c'est répéter l'idée en termes différents. Ce " besoin " nous rappelle un peu trop certaine célèbre " vertu dormitive " : il n'explique rien, c'est lui qu'il faut expliquer. Cette première irrégularité ne doit pas masquer le curieux caractère des deux " donc " qui lui succèdent. Avec chacune des deux conjonctions s'accomplit ce qu'il faudrait nommer un ukase déductif. La déduction selon laquelle pour donner une impression d'étrangeté, " il faut donc qu'il invente " n'est recevable que si l'étrangeté reste une aptitude exclusive de l'invention d'éléments fictifs. Or l'étrange peut surgir, dans un récit géographique, des bizarreries mêmes de la nature ; Poe n'a pas manqué d'en user dans sa description de la *rookery* :

> A chaque intersection se trouve un nid d'albatros et au centre de chaque carré un nid de pingouin, de sorte que chaque pingouin est entouré de quatre albatros, et chaque albatros d'un nombre égal de pingouins.

L'extraordinaire peut non moins naître d'un changement narratif ; qu'on songe à l'étrangeté produite, dans *l'Éducation sentimentale*, par le brusque saut de scènes minutieusement décrites au brutal passage :

> Il voyagea.
> Il connut la mélancolie des paquebots, les froids réveils sous la tente, l'étourdissement des paysages, l'amertume des sympathies interrompues.
> Il revint.

La seconde déduction, assurant que pour inventer, " il faut donc qu'il puise dans son inconscient " n'est également recevable que si l'inconscient est seul capable d'invention. En dépit de ses équivoques, *la Genèse d'un poème*, ou maintes autres pages de Poe démontrent amplement le contraire. Et Bachelard dit lui-même " ce n'est pas l'inconscient qui suggérerait l'expérience du canif... "

Malheureusement, le commentaire péjoratif ne peut s'arrêter là. Bachelard ajoute en effet :

> L'invention, soumise aux lois de l'inconscient, suggère un liquide organique. Ce pourrait être le lait. Mais l'inconscient de Poe porte une marque particulière, une marque fatale : la valorisation se fera par le sang.

Imaginer un choix entre sang et lait trahit une étonnante méconnaissance du texte. Marie Bonaparte et Borges, nous le verrons, savent, comme tout lecteur d'*Arthur Gordon Pym*, que la couleur blanche *n'existe pas* dans l'île de Tsalal. Nul choix possible, donc, que l'inconscient trancherait, entre un ruisseau de lait et une rivière de sang.

Il y a plus :

> ... il n'a pas hésité à mettre dans un récit *réaliste* des fleuves qui coulent lentement.

Seul qui n'en a point suivi les lignes, et notamment celles-ci :

> ... les phénomènes de cette eau formèrent le premier anneau défini de cette vaste chaîne de miracles apparents dont je devais être à la longue entouré.

assurera que sont réalistes *les Aventures d'Arthur G. Pym.*

Après ces remarques qu'il était impossible d'éluder, observons l'exégèse de Bachelard.

> Cependant, il ne semble pas que la psychanalyse classique dont nous avions suivi les leçons dans cette interprétation particulière rende compte de toute l'imagerie (...). Ce n'est pas l'inconscient qui suggérerait l'expérience du canif glissé entre les veines de l'eau extraordinaire. Il y faut une expérience positive de " l'eau fibrillaire " d'un liquide qui, bien qu'informe, a une structure interne et qui, comme tel, amuse sans fin l'imagination matérielle. Nous croyons donc pouvoir affirmer qu'Edgar Poe a été intéressé, en son enfance, par les gelées et les gommes; il a vu qu'une gomme qui s'épaissit prend une structure fibreuse. Il le dit, pourquoi ne pas le croire ? Sans doute, il a rêvé au sang en travaillant les gommes...

De cette aimable anecdote, on peut dire qu'elle ressemble, selon la formule du Lonnrot de Borges, aux " tribulations imaginaires d'un voleur imaginaire ".

Doublement hypothétique, telle interprétation procède par l'emboîtement de deux suppositions biographiques. Ayant assigné au liquide l'origine d'une gelée ou d'une gomme, l'exégèse est conduite à décrire une conjecturale scène enfantine qui reproduirait la coexistence du sang et d'une gelée. Nous l'avons dit : ce qui nous intéresse pour l'instant n'est point la valeur d'une interprétation, c'est la mesure du texte qu'elle laisse obscur. Or cette part est notable; l'exégèse bachelardienne oublie deux caractères de l'eau : la limpidité retrouvée dans les cascades, la couleur variable. Ne rendant pas " compte de toute l'imagerie ", elle ne satisfait pas ce désir d'exhaustivité qui en formait l'annonce.

### D) *Les hors-texte.*

Un problème se pose donc. Pourquoi certains auteurs dont l'esprit est ingénieux, l'imagination parfois profuse, abandonnent-ils si tôt le texte, avant d'en avoir défriché tout le territoire ? Nul doute qu'il faille dépasser le niveau de l'aptitude individuelle pour mettre en cause une idéologie. L'accord de Marie Bonaparte et de Gaston Bachelard repose sur une commune option : la littérature aurait pour charge *d'exprimer un antécédent*, " l'inconscient des hommes qui puise dans sa préhistoire les thèmes éternels sur lesquels il brode mille variations différentes ", ou les " rêves qui préfacent les œuvres ". Toujours une force centrifuge projette telle lecture du texte vers le hors-texte essentiel qui serait exprimé. Sitôt obtenue une figure consistante du hors-texte, cette lecture, en son euphorie, tend à omettre le résidu, le condamnant à une redondance ou à l'insignifiant.

Mais on peut douter que la littérature soit, fût-elle relative, cette transparence qui livre autre chose. Il est possible que le texte présente au contraire une fondamentale opacité, et soit l'endroit du permanent problème. Au lieu de fuir incessamment la page au profit d'un quelconque antécédent fixe, l'exégèse serait alors prise dans une inlassable circularité.

## II. PHYSIQUE DE LA FICTION

### A) *Escamotage de la blancheur.*

Mais, avant d'en étudier la symbolique, il faut se souvenir que toute fiction, dans son essentiel éloignement du quotidien, détermine pourtant un *monde*. Il y a lieu, surtout si le fantastique est agressif, d'établir les lois physiques de ce monde. Nul, sans doute, mieux que *l'Invention de Morel*, ce roman de Bioy Casares préfacé par Borges, n'a posé le problème d'une physique de la fiction. L'on se souvient que le postulat d'une coexistence, au même endroit d'un passé et du présent, y pose toutes manières d'apories réalistes que la fiction, avec de capitales défaillances passées inaperçues, s'efforce de résoudre élégamment. Il n'est donc nullement pour nous surprendre qu'en son essai *l'Art narratif et la magie* du recueil *Discussion* Borges ait fort bien compris que certains phénomènes de cette eau participaient à toute une physique fictive :

L'argument secret de ce roman est la crainte et la dépréciation de la blancheur. Poe imagine des tribus qui vivent aux environs du cercle antarctique tout près de la patrie inépuisable de cette couleur, et qui, depuis des générations, ont souffert de la terrible incursion des hommes et des tempêtes de la blancheur. Le blanc est anathème pour ces tribus et je peux avouer qu'il l'est aussi, vers la dernière ligne du chapitre, pour les lecteurs (...). Impossible de présenter ou d'analyser ici le roman en son entier; il me suffira de traduire un trait exemplaire subordonné — comme tous les autres — à l'argument secret. Il s'agit de l'obscure tribu dont j'ai parlé, et des ruisseaux de son île. Décider que leur eau était rouge ou bleue aurait été récuser par trop toute possibilité de blancheur.

En d'autres termes, le blanc ne devant pas se rencontrer communément dans l'île, la polychromie de l'eau réussit à en escamoter une éventualité.

## B) *Une application discutable.*

Le principe que Borges applique ici est trop important pour qu'on puisse en admettre un usage insuffisamment rigoureux. Or, trois points du commentaire borgesien incitent à la controverse. La tentative de réduction réaliste selon laquelle le blanc serait anathème parce que l'île aurait eu à souffrir de l'incursion des hommes et des tempêtes de la blancheur ne s'accorde pas avec au moins ce passage : " Il était positivement évident qu'ils n'avaient jamais vu aucun individu de race blanche. "

Le second point concerne les diverses techniques d'éviction du blanc. Si nous voulions en établir un classement, nous accueillerions les trois rubriques suivantes : pur et simple changement de couleur (les albatros noirs), escamotage du problème (les lèvres des insulaires cachant les dents), le blanc passé sous silence (la sclérotique de l'œil des sujets de Too-wit). Sans doute m'invitera-t-on à ne pas omettre que, nous l'apprendrons après avoir quitté l'île, les dents des sauvages étaient non point blanches mais noires. L'on comprend la difficulté rencontrée par l'auteur. Montrant à l'heure des descriptions une denture noire, Poe lui aurait trop récusé, comme dit Borges, " toute possibilité de blancheur ", pour que l'identique problème des yeux ne se trouve aussitôt mis en lumière. La solution de Poe, particulièrement subtile, fait appel à une loi narrative fondamentale : si une narration présente un ou deux attributs d'une chose, la nécessité d'en présenter un troisième en règle générale diminue car le texte, du fait de sa linéarité, verserait dans une inesthétique insistance. C'est d'ailleurs sur cette loi, probablement, puisqu'elles sont elles-mêmes narratives, que certaines exégèses s'appuient pour faire passer comme exhaustive mainte incomplète interprétation. Si nous relisons les phrases de Poe :

> Mais leurs lèvres, comme celle des hommes étaient épaisses et massives, à ce point que même en riant elles ne découvraient jamais les dents. Leur chevelure était d'une nature plus fine que celle des hommes,

nous voyons d'une part combien le stratagème des lèvres évite le dangereux problème de la couleur, et, d'autre part, combien la description des dents et de la chevelure permet de passer aisément sous silence l'attribut oculaire.

Il est donc permis de douter qu'un auteur raffinant aussi spécieusement la triple panoplie du changement chromatique, de l'escamotage matériel ou du silence, ait donné à la polychromie de l'eau le piètre rôle de proscrire une aptitude à la blancheur. L'économie conseillerait plutôt de la rendre foncée comme, pour éviter l'écume, la mer aux approches de l'île, ou bien, par des végétations, de la rendre invisible, ou enfin, très simplement, de l'omettre.

Or, et c'est la troisième méprise de Borges, le caractère de l'eau commune est non la blancheur, mais la transparence. Seule en l'émulsion de son écume l'eau est capable de fournir du blanc. Si Poe élude la mousse dangereuse, c'est par la profusion des autres caractères, et notamment la limpidité en cascades, selon la précédente loi de l'exclusion des attributs.

### C) L'absence du miroir.

Mais un lecteur plus attentif notera que la physique de l'eau extraordinaire doit obéir à une autre exigence. Elle ne nous semble pas fortuite la remarque selon laquelle l'étonnement des Blancs face au liquide était aussi profond que celui de Too-wit sur la *Jane-Guy*, quand il vit les miroirs. Il eût été de la dernière étourderie d'effrayer par son image, un homme qui, dans les vallées de son île, aurait eu la coutumière disposition d'un miroir d'eau. L'apparente dissolution de gomme arabique sur les déclivités peu sensibles, la variation des couleurs, la mobile complication des veines offertes à la trituration ont donc pour rôle de proscrire tout reflet.

Il faut tirer la remarquable conséquence de cette cohérence superficielle. Ne disposant d'aucune surface miroitante, les insulaires ignorent leur image. N'ayant jamais quitté la noire patrie de l'archipel, ils rejettent le blanc. Ne connaissant pas le couple complémentaire du Même et de l'Autre, leur univers se confine en quelque manière dans un semblable indifférencié.

Nous y reviendrons quand la symbolique du liquide aura été rendue à de plus intenses richesses.

### III. SYMBOLIQUE DE LA FICTION

Le commentaire que nous venons d'esquisser au niveau d'une physique fantastique est exhaustif : il donne un rôle aux quatre attributs de l'eau extraordinaire. Mais s'il est nécessaire qu'une interprétation fasse intervenir toutes les parties de l'objet qu'elle s'est choisi, cela n'est nullement suffisant pour lui permettre de croire qu'elle en a épuisé le sens. Ainsi notre précédente analyse a-t-elle montré combien était naïf l'impérialisme sémantique de Bachelard prétendant que si la " valorisation du liquide par le sang manque chez le lecteur : la page perd tout intérêt, elle est incompréhensible ". Ainsi se gardera-t-on d'interdire une nouvelle exégèse. L'on imagine pourtant que la multiplication des hypothèses ne doive point induire à un confortable pluralisme herméneutique. Il conviendra de comparer les deux interprétations et, si possible, les unir.

#### A) La figure d'un texte.

Si peu revenons-nous à l'eau étrange, qu'il nous faut admettre le lien qui l'unit aux noires collines. Les voyageurs la rencontrent à chacune des deux fois qu'ils s'avancent en détail dans les gorges dont Poe note qu'elles ont dû être tracées par un torrent :

> Nous avions passé la source et le ruisseau dont j'ai déjà parlé,
> et nous entrions dans une gorge étroite qui serpentait à travers

> les collines de pierre de savon au milieu desquelles se trouvait situé le village. (...) Le ravin (...) avait probablement, à une époque reculée, formé le lit d'un torrent.

Or un ultime chapitre, en appendice, nous révélera que les gouffres des collines noires tracent les caractères d'une immense écriture.

Si nous observons maintenant la plus singulière propriété de l'eau, cette capacité de toute veine tranchée de se ressouder immédiatement et l'inaptitude de deux veines séparées de se rejoindre aussitôt, nous constatons qu'elle définit une parfaite métaphore d'un texte écrit. En effet si une imaginaire verticale tranchait certaine ligne d'écriture, les deux fragments écartés resteraient idéalement unis par une intense cohésion, d'ordre syntaxique; si en revanche une horizontale séparait deux lignes, le lien rompu, de nature essentiellement spatiale offrirait une adhérence très inférieure. Cette double connivence, par contiguïté et par similitude, du liquide avec l'écriture nous incite à croire que c'est à un texte que nous faisons face.

Telle exégèse doit mettre en jeu les trois autres caractères de l'eau. Si dans les cascades, le texte défile très vite, c'est-à-dire si la lecture est trop rapide, la prose offre une apparente limpidité. Mais aussitôt que, avec les faibles déclivités, l'attention s'accroît, une naissante opacité trouble le texte. Quand la lecture enfin a su arrêter sa course, l'opacité, offrant ses couleurs infiniment variables, se révèle en sa polysémie. Polysémie que confirme d'ailleurs cette nouvelle interprétation.

Il n'est pas indifférent d'établir ici un premier rapport entre nos deux niveaux exégétiques. Le jugement qui en découle a la valeur d'un manifeste antiréaliste : ce liquide ne devient écriture qu'en cessant de miroiter; ou encore, il n'y a point lieu de chercher un reflet du monde dans l'écriture.

B) *Voyage au bout de la page.*

Il y a plus. Si le désir de corroborer notre jugement nous incite à relire la dernière partie du livre, nous sommes bientôt en mesure de comprendre la raison de ces " incroyables aventures et découvertes dans le pôle sud " qui nous étaient promises dans le titre intégral, et au début de l'expédition de la *Jane-Guy* :

> Aussi, bien que je sois obligé de déplorer les tristes et sanglants événements qui furent le résultat immédiat de mon conseil, je crois que j'ai droit de me féliciter un peu d'avoir été, jusqu'à un certain point, l'instrument d'une découverte, et d'avoir servi en quelque façon à servir aux yeux de la science un des plus enthousiasmants secrets qui aient jamais accaparé son attention.

Apparemment le livre ne semble pas tenir sa promesse. La mort de Pym interrompt le manuscrit au moment de la plus vive palpitation de l'histoire, quand le narrateur, après avoir quitté sur une barque le noir archipel avec Peters et l'insulaire Nu-Nu, pénétrait, à l'extrême sud, dans une région de blancheur absolue :

> Les ténèbres s'étaient sensiblement épaissies et n'étaient plus tempérées que par la clarté des eaux, réfléchissant le rideau blanc tendu devant nous. Une foule d'oiseaux gigantesques, d'un blanc livide, s'envolèrent incessamment derrière le singulier voile, et leur cri était le sempiternel TEKELI-LI ! qu'ils poussaient en s'enfuyant devant nous. Sur ces entrefaites, Nu-Nu remua un peu dans le fond du bateau; mais comme nous le touchions, nous nous aperçûmes que son âme s'était envolée. Et alors nous nous précipitâmes dans les étreintes de la cataracte, où un gouffre s'entrouvrit, comme pour nous recevoir. Mais voilà qu'en travers de notre route se dressa une figure humaine voilée, de proportions beaucoup plus vastes que celles d'aucun habitant de la terre. Et la couleur de la peau de l'homme était la blancheur parfaite de la neige...

Sous le titre du *Sphinx des Glaces*, Jules Verne a supposé paraît-il une fin à ce récit. C'est donc par tout un livre que l'auteur de l'admirable *Voyage au centre de la terre* a montré qu'il n'avait nullement compris que les aventures d'A. G. Pym étaient un *Voyage au bout de la page*.

Marie Bonaparte et Borges, en leurs préoccupations respectives, ont par contre tenu chacun une moitié de cette solution. La psychanalyste note en effet que " le récit d'*Arthur Gordon Pym* est bien en réalité achevé "; et l'auteur argentin : " Cette couleur blanche impersonnelle n'est-elle pas mallarméenne ? " Or, non sans évidence, ces deux partielles intuitions peuvent s'accorder ainsi :

nul texte mieux que *les Aventures d'Arthur Gordon Pym* n'est achevé, puisque sa fiction désigne la fin de tout texte, l'ultime mise en place du " vierge papier que la blancheur défend ".

### C) *Allégorie de la page.*

Offrons maintenant la thèse en toute son ampleur : si l'antarctique région où s'engage périlleusement la goélette *Jane-Guy* recèle " un des plus enthousiasmants secrets qui aient jamais accaparé " l'attention de la science, c'est que, en ses étrangetés, elle est une page écrite. Cette choquante opinion ne prétend certes pas résoudre directement la masse des problèmes posés par la fin du livre. Nul doute cependant qu'elle tienne une place prépondérante dans le fonctionnement du texte. Nous proposerons seulement ici, à sa lumière, quelques éclairages peut-être nouveaux.

Le noir archipel que les voyageurs quittent pour l'ultime blanche marge du papier, est le lieu même des écritures. Les gouffres de Tsalal " constituent un mot-racine éthiopien (...) ÊTRE TÉNÉ-BREUX". Outre le hiéroglyphe qu'elles dessinent, les entailles de la paroi écrivent : le mot-racine arabe (...) ÊTRE BLANC " et " le mot égyptien (...) LA RÉGION DU SUD ".

Que notre mouvement régressif nous conduise vers le nord et nous lisons que la *Jane-Guy*, d'abord aux prises avec les hostiles banquises ou haut de la page, rencontre bientôt le titre ou îlot de Bennet. Deux événements lient en effet, malgré les douteuses ultérieures dénégations de Too-Wit, l'îlot à l'archipel : l'épave de proue sculptée d'une tsalalienne tête de tortue; la commune annonce de Bennet et de l'archipel par deux versions d'un même animal.

### D) *L'écriture.*

Mallarmé notait : " Tu remarquas, on n'écrit pas, lumineuse-ment, sur champ obscur, l'alphabet des astres, seul, ainsi s'indiqua, ébauché ou interrompu; l'homme poursuit noir sur blanc. " Par opposition aux blancs voyageurs, substituts métaphoriques du papier, on a deviné que les noirs représentent les instruments de l'écriture. Recouvrant les blancs (le papier), de la noire poussière du cataclysme (l'encre), et transformant ainsi le contour des profondes gorges de l'île, tout porte à croire que les insulaires mettent en place, à leur insu, de nouvelles scripturales sinuosités.

L'énigmatique phrase qui conclut l'appendice : J'AI GRAVÉ CELA DANS LA MONTAGNE, ET MA VENGEANCE EST ÉCRITE DANS LA POUS-SIÈRE DU ROCHER, peut alors se lire comme ce qu'écrit le ravin mortel après l'attentat : une dramatisation de l'antagonisme encre-feuille. " J'ai écrit cela sur la page, et l'encre a enseveli le papier. "

Inversement, quand, sur la fin, les blancheurs vont recouvrir l'esquif où Nu-Nu agonise, la mort de l'insulaire nous assure qu'il vient d'être gommé.

### E) *La lecture.*

Les étranges inscriptions de la montagne se révèlent seulement avec les indications de l'appendice : leur lecture est en effet soumise à certaines formalités. Physique et symbolique de la fiction se recoupent ici une seconde fois. Si les sauvages ne se doutent pas qu'ils peuplent d'immenses graphies, c'est que leur esprit, refusant le Même et l'Autre, ignore la différence sur laquelle se fonde toute écriture.

Parce qu'ils sont blancs, et rapprochent le papier de l'encre, les voyageurs entrevoient un instant l'écriture :

> Nous étions au moment de quitter cette fissure, dans laquelle la lumière ne pénétrait qu'à peine, quand Peters appela mon attention sur une rangée d'entailles, d'apparence bizarre dont était décorée la surface de marne qui terminait le cul-de-sac. Avec un très léger effort d'imagination, on aurait pu prendre l'entaille située à gauche, ou le plus au nord, pour la présentation intentionnelle, quoique grossière d'une figure humaine se tenant debout avec un bras étendu. Quant aux autres, elles avaient quelque peu de ressemblance avec des caractères alphabétiques, et cette opinion en l'air, que c'était réellement des caractères séduisit Peters, qui adopta cette conclusion à tout hasard. Je le convainquis finalement de son erreur en dirigeant son attention vers le sol de la crevasse, où, parmi la poussière, nous ramassâmes, morceau par morceau, quelques gros éclats de marne qui avaient évidemment jailli, par l'effet de quelque convulsion, de la surface où apparaissaient les entailles, et qui gardaient encore des points de saillie s'adaptant exactement aux creux de la muraille; preuve que c'était bien l'ouvrage de la nature. "

Il n'est donc point trop pour nous surprendre que l'obscurantisme de Pym, refusant ici la notion d'écriture, soit dicté par une métaphore relative aux noirs insulaires. L'idée de chercher diverses pierres pour obturer les orifices scripturaux lui a été fournie par la coutume des sauvages fermant d'un bloc symbolique leurs grottes qui ressemblent à l'inscription :

> Les plus nombreuses consistaient en de petites cavernes peu profondes, dont était, pour ainsi dire, égratignée la surface d'une paroi de pierre noire, tombant à pic et ressemblant fort à de la terre à foulon, qui bordait trois côtés du village. A l'entrée de chacune de ces cavernes grossières se trouvait un petit quartier de roche que l'habitant du lieu plaçait soignement à l'ouverture dès qu'il quittait sa niche.

### F) *Les oiseaux-lecteurs.*

Ainsi, pour que l'allure scripturale des gouffres et des égratignures de la roche puissent véritablement paraître, il faut échapper aux sortilèges de l'île noire. Seul le recul d'un appendice permet de lire les dessins que Pym a récrits sur un papier.

Il existe pourtant certains lecteurs privilégiés. Leur présence se découvre sitôt que les dernières indications de l'appendice :

> Il ne serait pas impossible que TSALAL, le nom de l'île aux abymes, soumis à une minutieuse analyse philologique, ne trahît quelque parenté avec les gouffres alphabétiques ou quelque rapport avec les caractères éthiopiens si mystérieusement façonnés par leurs sinuosités. "

sont rapprochées d'une remarque faite le 2 mars :

> Le commencement des mots TSALEMON ET TSALAL s'accusait avec un sifflement prolongé qu'il nous fut impossible d'imiter, même après des efforts répétés, et qui rappelait précisément l'accent du butor noir que nous avions mangé sur le sommet de la colline.

Dans la mesure où ils atteignent, au-dessus de l'île, l'altitude qui fait surgir les environnantes banquises et vapeurs du papier, les oiseaux sont donc capables de lire les gouffres tsalaliens. Lecture du graphisme éthiopien signifiant " être noir " et cri des butors repris par les insulaires comme nom de l'île noire, Tsalal est une dénomination parfaitement motivée.

On n'aura point de mal à croire, par analogie, que les albatros, en proférant leurs mystérieux " Tekeli-li ", répètent la lecture de quelque inscription relative au blanc. Et si Howard Philip Lovecraft, à la fin de son épouvantable antarctique nouvelle *les Montagnes hallucinées*, s'interroge sur le sens du cri, ce n'est pas sans produire, intuitivement, une confirmation de cette hypothèse. En effet, tout comme *les Aventures d'Arthur G. Pym*, le récit lovecraftien se termine, à l'exact instant où la présence du papier se fait irrécusable, par cette désignation de la blancheur.

> Sur le moment, il se borna à répéter comme un automate le mystérieux appel que nul homme n'a jamais déchiffré : " Tekeli-li ! Tekeli-li !

## IV. MORALE

Tant d'allégories ne sauraient manquer d'aboutir à une morale. Pour l'obtenir, multiple, supposons qu'à leur tour sont allégoriques certains précédents résultats.

Sans doute la lecture aviculaire et l'altitude qui la rend possible renvoient à une expérience pratique : on ne peut lire au ras des mots ; ils n'apparaissent qu'à partir d'une distance. Mais cette physique de la lecture n'en cachera point la symbolique : si lire, toujours, c'est regarder la lettre ; c'est non moins éviter de s'y complaire, et produire, à la recherche de l'esprit du texte, en altitude, maint précieux dédoublement.

Faut-il donc, par une tolérance confortable, reconnaître une égale aptitude à toutes lectures symboliques ? Il semble que l'ultime voyage de la *Jane-Guy*, au-delà des exégèses expressives qui obligent le symbole à traduire un donné quelconque, permette d'établir une manière de reploiement herméneutique. L'ultime aventure d'Arthur G. Pym, en symbolisant une page d'écriture, c'est-à-dire le lieu et l'acte qui l'instituent, nous assure que par la fiction, la littérature n'emprunte au monde des matériaux que pour se désigner elle-même. C'est telle circularité, et l'étrange vide moyeu autour duquel s'agencent les signes, que ne doit jamais perdre de vue toute lecture en altitude :

" Le langage se réfléchissant " (MALLARMÉ).

# TABLE

IMP. BUSSIÈRE, SAINT-AMAND (CHER). D. L. 4ᵉ TR. 1967. Nᵒ 2047 2- (1955).